中村学園大学流通科学部

流通科学研究所　研究叢書 No. 3

現代の流通ビジネス

── 農業と食を中心に ──

浅岡柚美・甲斐　諭・片山富弘 編著

五 絃 舎

はしがき

中村学園大学流通科学部に，流通科学研究所の前身である流通科学研究室が開設されたのは平成18（2006）年の4月であった。その後2年を経過した平成20（2008）年に流通科学研究所に拡充され，今日に至っている。その間，平成22（2010）年1月に本研究所研究員により，『食品流通のフロンティア』（甲斐諭編著，農林統計出版，2011年），平成28（2016）年11月に『流通ビジネスの新展開』（甲斐諭編著，五絃舎，2016年）を公刊し，本書が流通科学研究所叢書の第3巻となる。

「人々が美しく心を寄せ合う中で，文化が生まれ育つ」という意味が込められている〔1〕という令和の時代を迎え，我々は東京オリンピック・パラリンピック，大阪・関西万博などの開催を前に希望と活力に満ちた未来を期待していた。しかしながら，令和2（2020）年1月以降，日本における新型コロナウイルス感染症（COVID-19）が拡大し，営業自粛，時短営業，緊急事態宣言の発出などにより，業界，地域を問わずに多大な影響を受けることとなった。

本書がサブタイトルにつけた「農業と食」においては，現在，外食産業向けのとりわけ高価な食材全般，外食産業・飲食店，観光業・運輸業に被害が集中し，厳しい経営を強いられているが，長期的には人々のニーズ，消費マインドや消費行動，食習慣・食生活，サプライチェーンのインフラ，eコマース，貿易制限など多方面での変化と不確実性が広がるであろう。本書は，このような時代背景の中，流通業が直面している多様な課題に向き合って記された。

第1章「コロナ禍が食品産業と企業に与えた影響と今後の課題」では，世界的に猛威を振るっている新型コロナウイルスが食品産業と企業に与えた影響と今後の課題を解明した。コロナ禍は人々に種々の行動制約を課し，それが外食などの需要を減退させ，逆に巣ごもり需要を惹起するなど，モノとサービスの生産・流通・消費に異変を引き起こしている。この現状，影響について，まず，コロナ禍が経済と家計に与えた影響を「家計調査報告」を用いて分析し，次にそれが前方転嫁されて主に食品の小売店と卸売市場にどのような影響を与えたかを「卸売市場報告」から解析した。最後にコロナ禍の下でも業績を伸ばしている食品企業を現地調査して，企業は平素から原料仕入れ・製造加工・販売の各段階で多様なリスクが発生する危険性を念頭に経営することの重要性を明らかにしている。

第2章「家族農業における次世代継承と地域農業の振興」では，わが国の家族農業をめぐる動向を踏まえたうえで，次世代継承なかんずく世代間連携の重要性を理論的に検討している。そこでは，二世代家族経営における次世代への早期経営継承が経営主交替時の事業規模低下のリスクを軽減する対応策として，また世代間連携が経営継承を円滑化し後継者の経営者能力を涵養し向上させるものとして捉えられている。次に，秋田県で肉用牛経営を営む家族農業を事例に親子家族経営における世代間連携の実態を検討している。そこでは，家族農業において従来強みとされてきた労働の協業調整や相互扶助の柔軟性といった利点を存分に活用している実態を明らかにしている。さらに，事例分析から，親子二世代の連携・協業を核とした和牛生産の取り組みを地域ブランド牛の生産振興につなげている点を指摘し，家族農業における次世代継承，世代間の連携が地域農業の振興に果たす重要な意義を見出している。

第3章「スマート農業に関する九州の取り組みと今後の課題」では，今後の農業改革の議論は，フードシステム全体の中の農業という前提が，より強く置かれるべきであると主張する。農業はフードシステムの起点であり，一部に過ぎない。しかし残念なことに，今の農業は，絶えず変化する消費トレンドを捉え，それに合わせて変化するのがとても苦手である。フードシステム全体の進展の中において，農業は，いつも置いてけぼりにされがちだ。スマート農業によるICT活用は，農業生産現場を劇的に変えるだろう。しかしスマート農業に期待することは，それだけにとどまらない。スマート農業には，川下産業や消費者と繋がる架け橋としての役割を期待している。スマート農業によりフードシステム全体の情報の非対称性が解消できれば，これまでと違った農業のビジネスモデルが次々と生まれてくるだろう。スマート農業は，農業が構造改革を果たすキー・イノベーションであると信じ，研究・教育を通じて，その普及に注力すべく筆者の意気込みを表している。

第４章「「食と健康」に関わる機能性食品の効用を考える－大豆および大豆製品の機能性成分に関する研究を中心に－」では，1990年代に始まった機能性食品が現在までにどのように変遷してきたかを説明している。また，機能性を表示できる食品，すなわち，特定保健用食品，栄養機能食品，機能性表示食品をわかりやすく説明している。さらに，生鮮食品のうち，野菜類に求められる健康に関わる機能性について，機能性表示野菜の現状を調べた結果，食品が含有する機能性成分およびその生理機能を意識しながら，多くの栄養成分をバランスよく摂取することが重要であると指摘している。最後に，植物性由来の大豆および大豆製品に含まれる代表的な機能性成分であるイソフラボン類について，実際に定量分析を行った結果を示している。

第５章「外食産業の中食化に関する考察－テイクアウト・フードデリバリー・フードトラックの各サービス－」では，外食産業，飲食店が取り組み始めているテイクアウト，フードデリバリーやフードトラックのサービスについて，その起源を歴史的に概観することから始め，現状を確認し，サービスマーケティングの視点から検討した。これらのサービスはコロナ禍以前から存在したサービスであるが，外食自粛の中，注目を浴びている。これらのサービスには外食産業や飲食店が提供する多様なサービスの一部，あるいは大半が省かれ「モノ化」現象が生じているが，その結果，「中食」として，新たな価値が付加されたことを述べ，この価値と課題について考察を行っている。外食産業，飲食店は人間関係を育み維持する場として不可欠であり，そのためにも安心・安全な場として機能するとともに経営を安定化する対応策が必要であると述べている。

第６章「コロナ禍による卸売流通への影響と対応」では，中国の北京新発地農産物卸売市場の新型コロナウイルス集団感染の状況，対策と効果，および集団感染が市場自体や各方面にもたらす影響を明らかにし，日本にとって，どのような教訓があるのかなどについて，を中心に考察が行われた。アジア地域では，農水産物卸売市場は，労働集約的で不可欠な社会インフラである上，コロナ感染にはハイリスクな場所になりやすいと，客観的に認めざるを得ない。しかし，卸売市場は，コロナ禍を契機に，①市場施設と改造，②市場の管理，③公益的な市場への転換，④市場のスマート化とデジタル化の推進などの点について，積極的な政策や対策を施せば，感染症などのリスクには有効になる可能性が大きい上，今後，市場における商品品質の確保，取引環境の改善や産業構造の改造やレベル・アップにもつながると考えられる。

第7章「ソリューション・マーケティングを考える」では，ソリューション・マーケティングの提示とその背景を論じた。マーケティング1.0から4.0までのマーケティングの変化の中で，マーケティングの基礎概念である重要な顧客満足などの概念やマーケティング・ミックスのような手法は変化しながら存在しているが，その本質は，顧客や企業の抱える問題解決に応えることである。これがソリューション・マーケティングである。ソリューション・マーケティングは，現代版のマネジリアル・マーケティングであるといえる。マーケティングの変遷の中で，マネジリアル・マーケティングからの脱皮のようなマーケティング・スタイルがソリューション・マーケティングである。アメリカで生まれたマーケティングは，プラグマティズムの思想の影響を受けて，実際に役立つモノとしての地位を社会科学の中で大きな役割を示してきた。今後も，顧客の問題解決を実施するソリューション・マーケティングは大きく展開されていくことになるであろうと切望している。

第8章「ポスト・コロナ時代のイノベーション」では，大きな環境変化の下で，ポスト・コロナ時代をどのように捉えればよいのかについて，一般システム理論を切り口として多様性と自己組織化の必要性に言及した。新型コロナ感染症のパンデミックは，世界中で多くの感染者及び死亡者を出すとともに，世界経済にも大きなダメージを与えている。またわが国では河川の氾濫，洪水，高潮，土砂災害などが頻発するなど，地球温暖化による異常気象の影響も大きく社会や経済にダメージを与えている。加えて，従来の欧米の近代化のパラダイムから，グローバルな各地域の特性やニーズを包摂した脱近代化のパラダイムへの転換の必要性を説いた。そのためには欧米の科学的知識だけでなく，各地域に蓄積された伝統的な知恵を融合させることにより，生きた暗黙知を創り出すことが大切である。AIをはじめとする高度先端技術だけでなく，地域の特性やニーズにあった伝統的あるいは通常の技術も応用して，有効な社会的イノベーションが行われなければならないと記している。

コロナ禍における授業運営や学生指導に忙殺されている中に公刊の運びとなったが，研究所の設立から令和2（2020）年10月末日まで初代研究所長として，また，2012年からは学長を兼任された甲斐諭先生の強いリーダーシップ，幅広い知見，絶えることのない研究への探求心と温和なお人柄に，本研究所研究員はいつも励まされ，教育と研究への意欲を喚起した。先生から直接的，間接的に学んだことは数多い。甲斐諭先生には改めて心からの謝意を表したい。

また，本研究所研究員が自由に研究活動を継続し，今年度は残念ながら海外に赴くことは叶わなかったものの毎年，海外での調査研究活動を実施，国内外の研究者，実務家を招いた国際セミナーを流通科学研究所として開催できるのは，中村学園理事長中村量一先生のご高配によるものである。記して心からの感謝と御礼を申し上げます。

〔1〕首相官邸
https://www.kantei.go.jp/jp/headline/singengou/singengou_sentei.html

令和3（2021）年1月

編　者

目　　次

はしがき

第 1 章　コロナ禍が食品産業と企業に与えた影響と今後の課題 ——— 3

—— 多様な商品開発と柔軟な販路構築の重要性：大森淡水からの示唆 ——

第 1 節　はじめに　3

第 2 節　コロナ禍が経済と家計に与えた影響　4

第 3 節　コロナ禍が食料流通に与えた影響　8

第 4 節　コロナ禍でも業績を伸ばしている株式会社大森淡水からの示唆　16

第 5 節　むすび　22

第 2 章　家族農業における次世代継承と地域農業の振興 ——— 25

—— 秋田県の肉用牛経営の取り組みを事例として ——

第 1 節　はじめに　25

第 2 節　家族農業の動向と次世代継承の重要性　26

第 3 節　事例概要〜秋田由利牛の取り組み〜　31

第 4 節　家族農業経営における経営継承，世代間連携の実態①　32
—— A 農場の取り組み ——

第 5 節　家族農業経営における経営継承，世代間連携の実態②　34
—— B 農場の取り組み ——

第 6 節　息子世代の家族経営を支える肥育経営の実態　35
—— ゆりファームの取り組み ——

第 7 節　おわりに　37

第3章　スマート農業に関する九州の取り組みと今後の課題 ——— 41

第1節　九州の農業概況と課題　41

第2節　農業生産の技術革新　43

第3節　スマート農業普及に向けた取り組みと課題　52

第4章　「食と健康」に関わる機能性食品の効用を考える ——— 59

—— 大豆および大豆製品の機能性成分に関する研究を中心に ——

第1節　はじめに　59

第2節　食品に求める健康機能への変遷　60

第3節　生鮮野菜に求められる機能性　62

第4節　大豆および大豆製品に含まれる機能成分の効用　67

第5節　おわりに　71

第5章　外食産業の中食化に関する考察 ——— 75

—— テイクアウト・フードデリバリー・フードトラックの各サービス ——

第1節　はじめに　75

第2節　テイクアウト・フードデリバリー・フードトラックの各サービス　78

第3節　サービスマーケティングの視点からの考察　87

第4節　外食産業の中食市場への参入によるインパクト　91

第5節　おわりに　93

第6章　コロナ禍による卸売流通への影響と対応 ——— 97

—— 中国の卸売市場の事例を中心に ——

第1節　はじめに　97

第2節　新発地市場と中国の農産物卸売市場について　98

第3節　新発地市場の集団感染について　101

第4節　集団感染発生後の対策と効果　103

第5節　まとめ　105

第7章　ソリューション・マーケティングを考える ―― 111

第1節　はじめに　111
第2節　マーケティングの変遷　112
第3節　ソリューション・マーケティングの提示　115
第4節　ソリューション・マーケティングの思想背景　121
第5節　ソリューション・マーケティングの事例　123
第6節　まとめにかえて　126

第8章　ポスト・コロナ時代のイノベーション ―― 129
――技術革新から社会革新へ――

第1節　はじめに　129
第2節　現状の課題－新コロナの大流行と異常気象　130
第3節　プレ・コロナ，ウィズ・コロナ，ポスト・コロナ　131
第4節　システム理論の考え方　133
第5節　新コロナとどう向き合えばよいのか　137
第6節　ポスト・コロナのパラダイム　139
第7節　ウィズ・コロナが残した課題　142
第8節　技術革新から社会革新へ　144
第9節　おわりに　145

現代の流通ビジネス

―― 農業と食を中心に ――

第１章　コロナ禍が食品産業と企業に与えた影響と今後の課題

── 多様な商品開発と柔軟な販路構築の重要性：大森淡水からの示唆 ──

甲斐　諭・眞次　一満

第１節　はじめに

我が国でも2020年２月頃から徐々に拡大しはじめた新型コロナウイルスの感染者数は11月下旬時点でも拡大を続けており，第３波発生の様相を呈している。欧米ではさらに状況が深刻化している。

コロナ禍は国民の行動を変容させ，制約し，それによる失業や倒産を誘発し，特に飲食店などの外食産業を直撃した。外食の自粛は逆に家計での食品に対する巣ごもり需要を惹起し，それにより高級食材が敬遠される一方で普通食材へのニーズが高まっている。

これらの経済界での不況，食品に対するニーズの変化を考慮して食品産業は迅速に対応する必要があり，各食品企業は生き残りを懸けた経営戦略の策定と迅速果敢な実行が不可欠になっている。

本稿ではまずコロナ禍が我が国の経済界と食品産業および家計に与えた影響を概観する。次いで今後の食品企業はどうあるべきかを考察するために，優良事例として宮崎県において鰻の養殖と加工および販売の３事業をバランス良く展開し，業績を伸ばしている株式会社大森淡水を現地調査（2020年10月14日）し，コロナ禍の収束が見通せず予断を許さない状況下の我が国の食品企業の今後の課題を考察する。

第２節　コロナ禍が経済と家計に与えた影響

１．コロナ禍が経済に与えた影響

内閣府が2020年11月16日に発表した同年７～９月期の実質国内総生産（GDP）の速報値〔1〕は，前期比5.0％増，年率換算で21.4％増となった。コロナ禍の影響で落ち込んだ戦後最大のマイナスを記録した４～６月期（年率28.8％減）の反動で個人消費や輸出が増えたことが影響したと考えられる。しかし，コロナ第３波への警戒感は強く，10月以降は減速する可能性が強い。ここではコロナ禍真っ只中にあった2020年４～６月期の状況を振り返ってみよう。

日本経済新聞社が世界の主要企業の2020年４～６月期の決算を集計した結果は３社に１社の最終損益が赤字であった〔2〕。またコロナ禍による関連倒産の発生件数をみると2020年３月31日の倒産件数は全国で16件であったが，６月30日は273件に急増していた〔3〕。そのうち飲食業，ホテル・旅館の倒産が顕著であった。

また完全失業率は2020年の３月の2.5％から９月には3.0％に上昇し，完全失業者数は同期間に176万人から210万人に34万人増加している〔4〕。

これらの対前年同期比を示す各数値は，コロナ禍により我が国の経済と家計が負の影響を強く受けたことを示している。次に家計急変の事情を統計から分析してみよう。

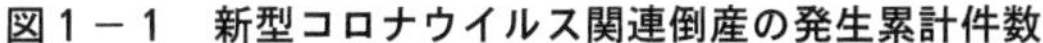

図１－１　新型コロナウイルス関連倒産の発生累計件数

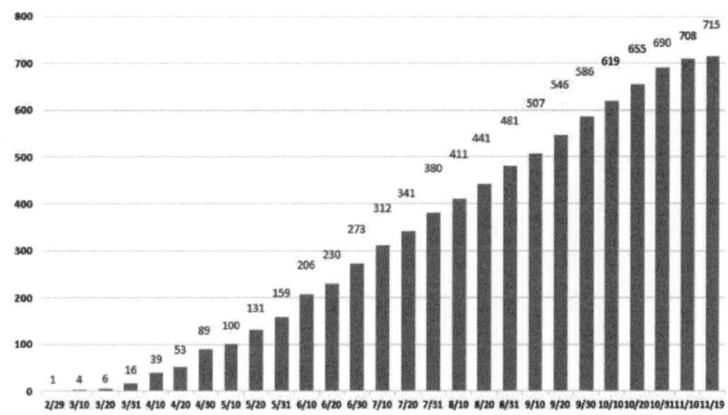

出所：帝国データバンク「新型コロナウイルス関連倒産」2020年11月19日公表。

図１－２　新型コロナウイルス関連倒産数

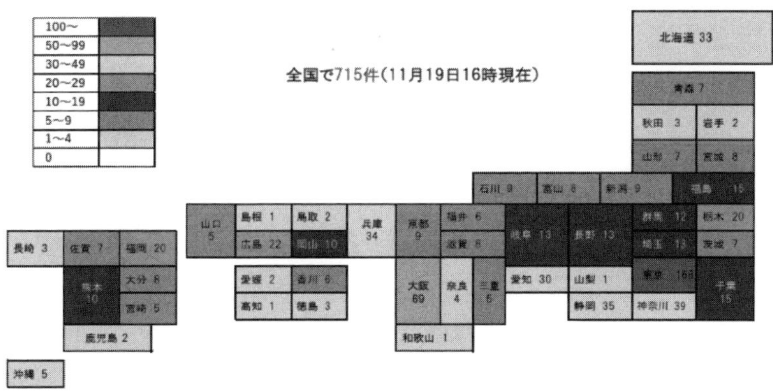

出所：帝国データバンク「新型コロナウイルス関連倒産」2020年11月19日公表。

図１－３　新型コロナウイルス関連倒産の発生累計件数

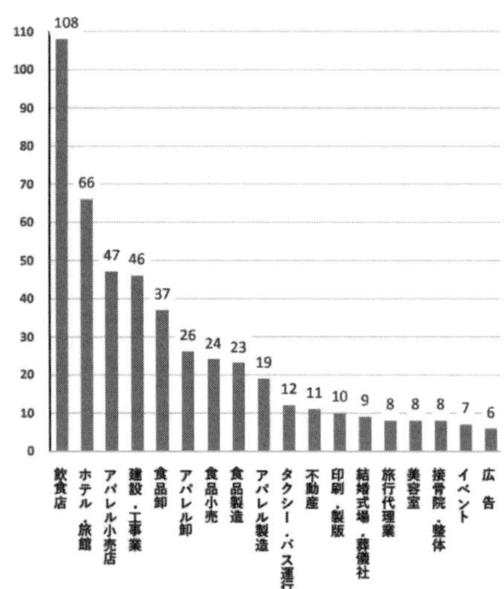

出所：帝国データバンク「新型コロナウイルス関連倒産」2020年11月19日公表。

２．コロナ禍が家計に与えた影響

図１－４は二人以上世帯の消費支出の対前年同月実質増減率の推移を示している。2019年の10月には消費税が８％から10％に増税となった影響で前年より消費支出が減少したが，2020年２月には持ち直していた。しかし，コロナ禍が拡大するのに伴って消費支出の前年割れは深刻になり，５月には大きく前年を下回った。６月には一旦回復したが，その後９月まで低迷が続いている。総務省の「家計調査報告」を見ればコロナ禍が家計に深刻な影響を与えていることが分かった。しかし，影響は品目によって大きく異なる。

家計のうちでも食料品に対してどのような影響がでたのかを検討するために作成したのが表１－１である。同表によれば食料で最も影響がでたのは４月であり，対前年同月比で6.6％の減少であり，次いで５月が5.4％減であった。

対前年同月比でマイナスになった品目の内訳をみるとパン，生鮮果物，菓子類，外食（一般外食，学校給食）のマイナスが顕著である。学校給食は7月に対前年同月比がプラスに回復したが，一般外食は9月になってもマイナスが続いている。

一方，対前年同月比でプラスになった品目は多く，巣ごもり需要が発生したことが分かる。特に4，5月に15%以上の需要の伸びが発生した品目は麺類，生鮮肉，加工肉，乳卵類，乳製品であった。巣ごもり需要の中でも時短料理用の食材としての品目において需要が大きく発生したものと推測される。

図1－4　消費支出の対前年同月実質増減率の推移（二人以上の世帯）

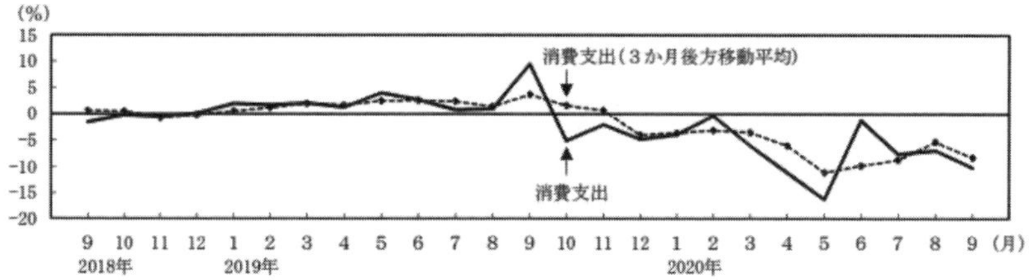

出所：総務省「家計調査報告」2020年11月6日公表。

表1－1　二人以上世帯における食料品の品目別対前年同月実質増減率

（単位：%）

	3月	4月	5月	6月	7月	8月	9月
消費支出	−6	−11.1	−16.2	−1.2	−7.6	−6.9	−10.2
食料	−2.4	−6.6	−5.4	−1.8	−2.6	−3.9	−3.3
米	15.3	11.8	7	3.9	9.1	8.7	3.1
パン	−3.4	−6.3	−1	−3.8	−3.6	−4.6	−0.4
麺類	23	34.2	25.4	15.7	10.3	12.9	17.2
生鮮魚介	5.5	7.2	11.4	13.1	10.3	11.1	0.9
塩干魚介	2.1	8.6	10.3	7.6	6.5	2.4	4.9
生鮮肉	10.1	20.7	23.4	10.2	13.9	16	8.1
加工肉	11.1	15.7	15.2	7.8	8.3	7.2	5.6
乳卵類	9.1	18.5	15.5	8	6.9	9.3	3.7
牛乳	5	11.9	9.6	6.3	2.2	3.7	1.4
乳製品	9.7	22.2	17	9	9.7	12.4	4.4

卵	14.3	20.9	22.5	8.7	8.9	13.3	6.1
生鮮野菜	6.5	9.3	8.9	2.5	1.6	1.2	3.1
大豆加工品	7.4	14.8	8.9	2.2	3.9	7.9	1.4
生鮮果物	5.3	−2.6	1	−1.1	−8.3	−4.4	−19.4
果物加工品	10.6	22.7	12.4	17.4	6.8	4.7	9.9
油脂	10.5	18.9	24.9	6.7	9.8	5.5	2.7
調味料	12.8	22	14.7	9.9	8.7	11.9	2.1
菓子類	−7.7	−11.5	−8.3	−2.9	−5.3	−8	−1.8
外食	−32.6	−65.7	−59.9	−35.2	−28.4	−34.6	−23.4
一般外食	−33.2	−67	−59.6	−35.3	−30.2	−36.5	−25.2
学校給食	−13.5	−30.5	−63.7	−33.1	1.4	36.6	5.3

出所：総務省「家計調査報告」2020年11月６日公表。

第３節　コロナ禍が食料流通に与えた影響

1．コロナ禍が野菜の流通に与えた影響

家庭における生鮮野菜（根菜）の１人１ヶ月当たり購入数量を図１－５に示す。2020年の１月の数量は2019年１月とほぼ同水準であったが，２月以降コロナ禍の拡大に伴って急増していることが分かる。図示は割愛したが，この現象は葉菜類，果菜類でも同様であり，家庭において野菜の巣ごもり需要が発生したことを示している。

家庭における野菜の巣ごもり需要は野菜の卸売市場にどのような影響を与えたのであろうか。図１－６によれば，東京都中央市場における2020年の４月と５月の白菜の取扱数量はほぼ同水準であったが，白菜の取扱単価は４月には急騰したことを図１－７は示している。この現象は福岡市中央卸売市場でも同様であったことを図１－８と図１－９は示している。

この白菜に代表される野菜の巣ごもり需要に伴う価格高騰は，図１－10に示すように野菜の需要曲線の右シフトによるものであると考えられる。

図１－５　家庭における根菜の１人１ヶ月当たり購入数量

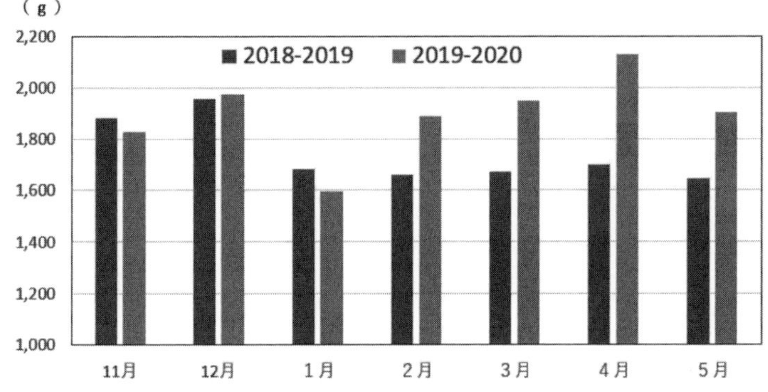

資料：農畜産業振興機構「野菜情報総合把握システム」2020.8.3より作成。

図１－６　東京都中央市場の白菜の取扱数量

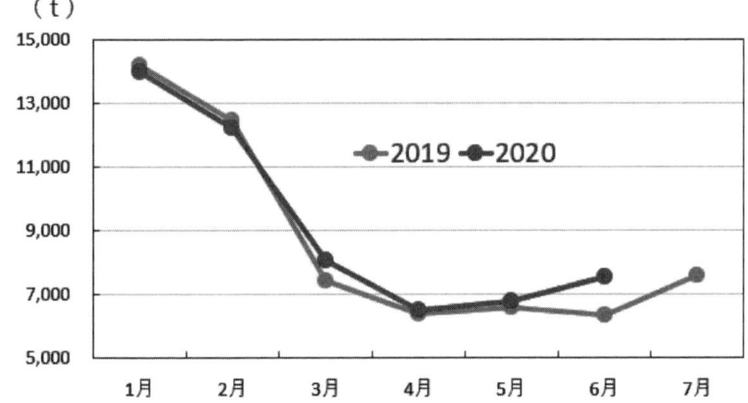

資料：農畜産業振興機構「ベジ探」より作成。

図１－７　東京都中央市場の白菜の取扱単価

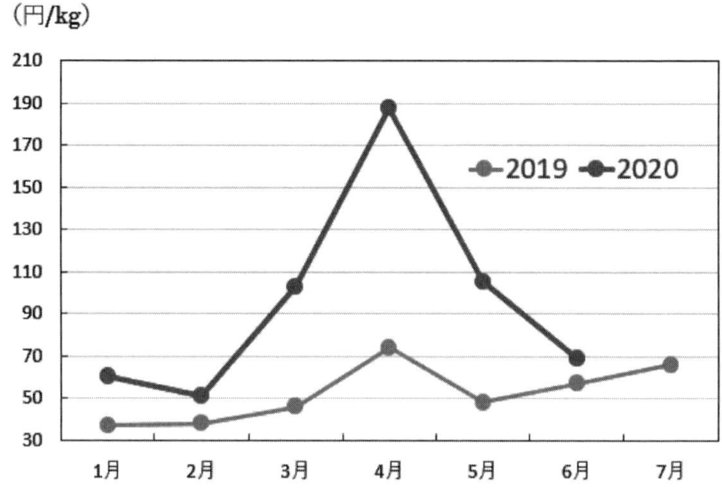

資料：農畜産業振興機構「ベジ探」より作成。

図１－８　福岡市中央卸売市場の白菜の取扱数量

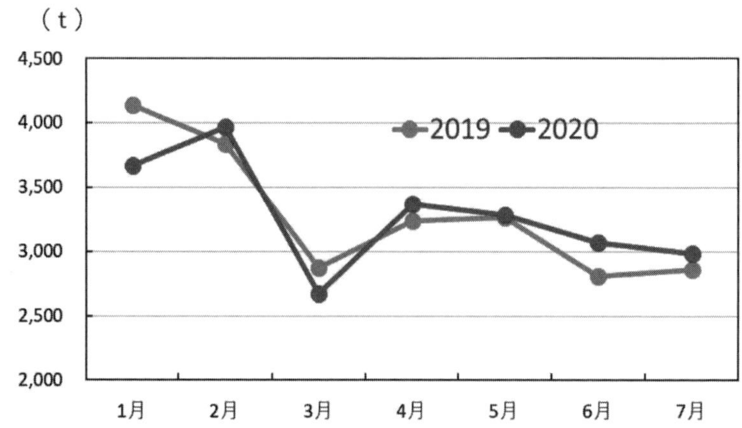

資料：農畜産業振興機構「ベジ探」より作成。

図１－９　福岡市中央卸売市場の白菜の取扱単価

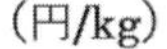

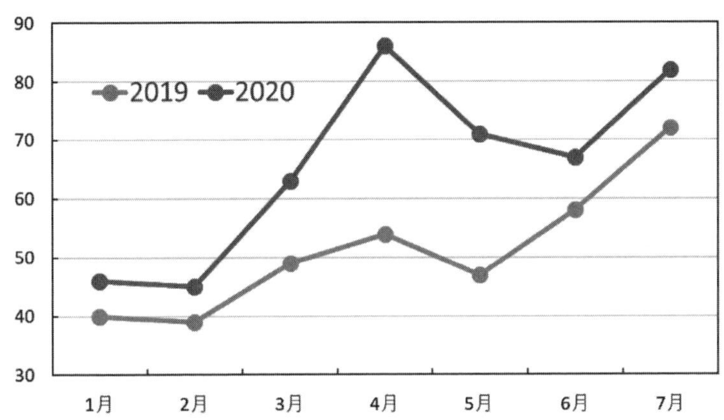

資料：農畜産業振興機構「ベジ探」より作成。

図１－10　市場における白菜のコロナ後の需要曲線の右側移動と単価上昇の模式図

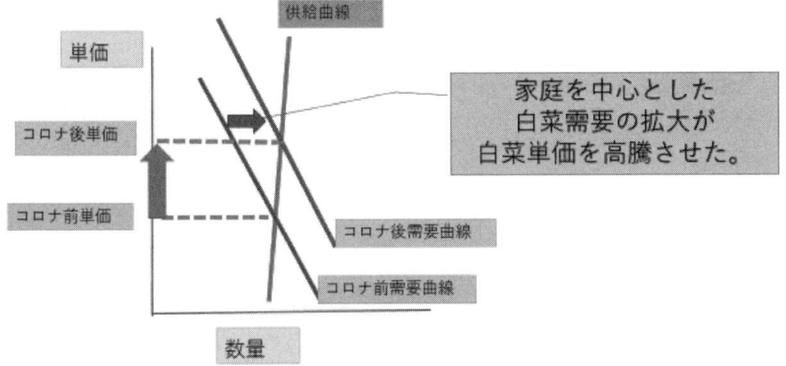

2．コロナ禍が食肉の流通に与えた影響

東京食肉市場の牛枝肉価格は図1－11に示すようにコロナ禍が急拡大しはじめた2020年3月頃から急落し，4月には底値になった。牛肉は外食消費が多い高級食材であり，前述のように外食産業が倒産し，売上を減らせば牛肉の需要が消失するので，価格下落が発生する。

一方，家庭での消費の多い普通食材である豚肉の東京食肉市場における枝肉価格は，図1－12に示すように2020年4月から急騰したことが分かる。

このような現象は福岡食肉市場でも発生していることを図1－13と図1－14は示している。

以上の牛肉と豚肉の真逆の価格変動を図解したのが図1－15である。同図の右半分は牛肉の需給関係を図示しており，左側は豚肉の需給関係を図解している。外食消費の多い牛肉の需要減少は牛肉の需要曲線を左側にシフトさせ，単価を引き下げたものと考えられる。一方，家庭での消費の多い豚肉は，巣ごもり需要により需要曲線が拡大するので，価格が高騰したことを同図は示している。

食肉市場での牛枝肉価格の下落は，前方転化されて子牛産地である宮崎県や沖縄県での子牛価格を大幅に下落させていたことを図1－16と図1－17は示している。

図１－11　東京食肉市場（和牛・去勢）枝肉単価

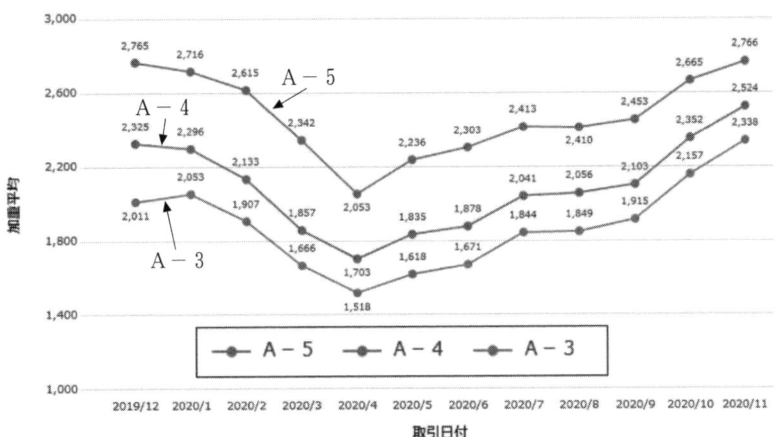

資料：日本食肉市場卸売協会資料より作成。

図１－12　東京食肉市場豚枝肉単価

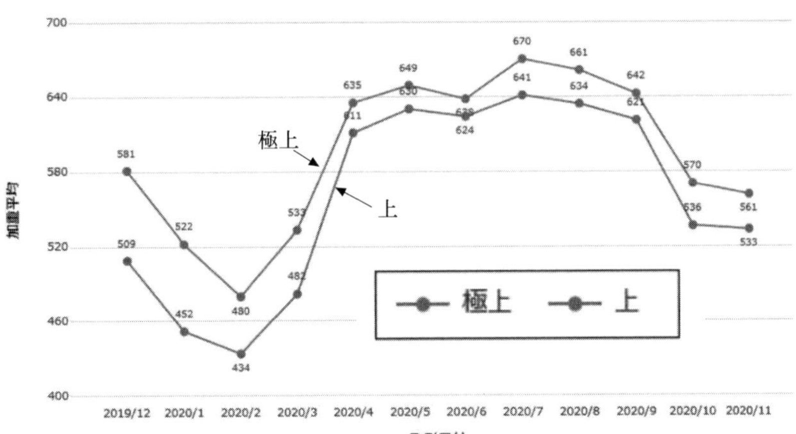

資料：日本食肉市場卸売協会資料より作成。

図1－13　福岡食肉市場（和牛・去勢）枝肉単価

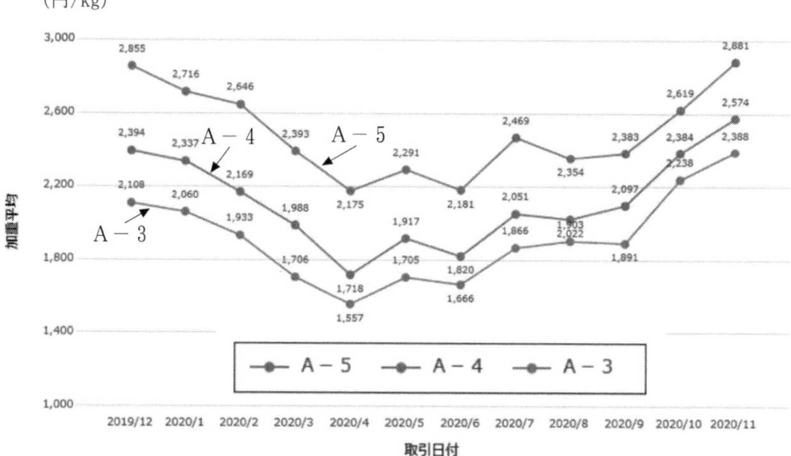

資料：日本食肉市場卸売協会資料より作成。

図1－14　福岡食肉市場豚枝肉単価

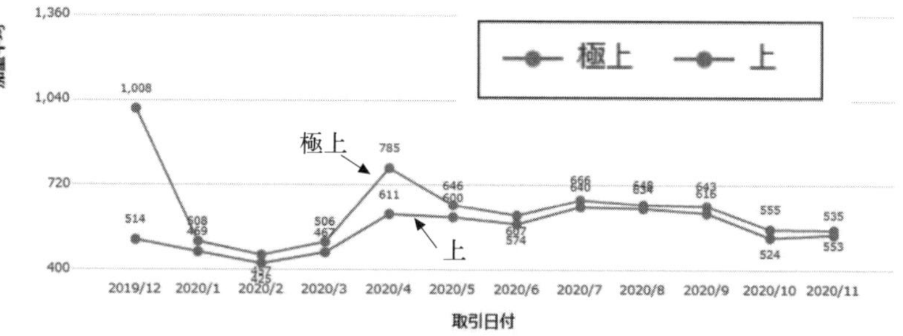

資料：日本食肉市場卸売協会資料より作成。

図１－15　市場における牛肉と豚肉の需給関係の模式図

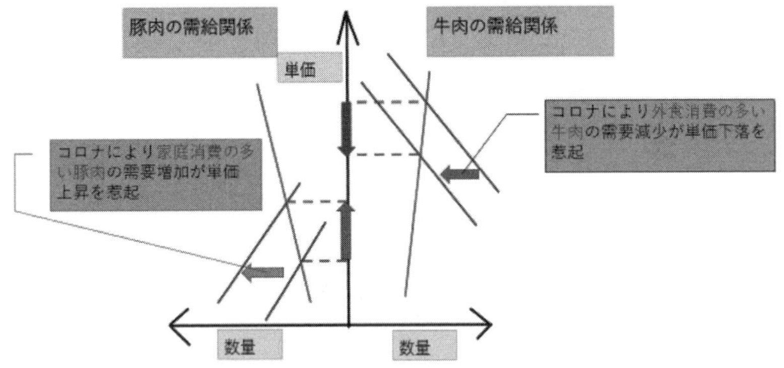

図１－16　宮崎県の子牛価格の変化

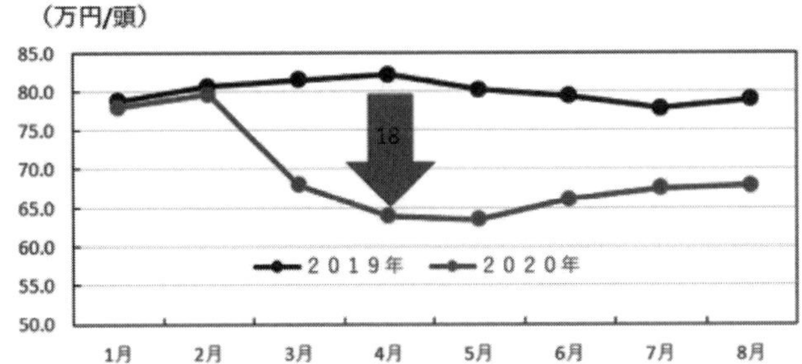

資料：農畜産業振興機構「肉用子牛取引情報」2020年９月より作成。

図１－17　沖縄県の子牛価格の変化

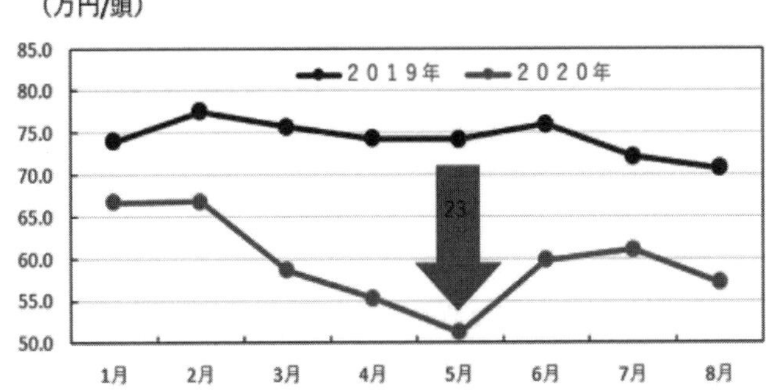

資料：農畜産業振興機構「肉用子牛取引情報」2020年９月より作成。

第４節　コロナ禍でも業績を伸ばしている株式会社大森淡水からの示唆

１．株式会社大森淡水の概要と沿革

日本の養鰻業のリーディングカンパニーである株式会社大森淡水（以下，大森淡水と略記）は宮崎市塩路に立地している。現在の代表取締役社長は二代目の大森伸昭氏であり，業界のトップリーダーである。2020年10月時点の総従業員数297名で，2019年の年間販売額は約145億円である。年間の活鰻の生産量は約4,000トン（この30年間ほぼ一定水準）で全国の活鰻生産量約２万トンの20％を占めており，養鰻業界では日本最大の企業であり，プライス・リーダーでもある。

前史はあるが，大森淡水として組織変更したのは1993年である。曲折を経て，2006年に現在地に「うなぎの里」を開設し，本社・鰻加工場を移転し，うなぎの里養鰻場を開設した。さらに2008年にはレストラン「うなぎ処　鰻楽」を開設，2009年には大森淡水第２，第３養鰻場，鰻楽養鰻場を開設して，現在に至っている。

２．高品質・安全・美味しい国産鰻を取扱うための生産者の技術統合

大森淡水は国産鰻だけを取扱い，活鰻販売と鰻加工品販売を行う鰻専門企業である。単に流通している鰻を仕入れて加工販売しているのではなく，鰻を自社で生産するとともに約40戸の宮崎県と鹿児島県の生産者と契約し，「鰻楽グループ」として組織化し，グループ員から活鰻を直接仕入れて，加工し，販売している。

グループ員の生産者とは良質，安全で，美味しい鰻の生産で結束を強めており，生産者による品質のバラツキを解消し，品質保証を図るために，年間１～２回全契約生産者が集まり，研修会を開始し，鰻の病気や餌について勉強し，高品質の鰻が生産できるように技術の平準化に努めている。

因みに宮崎県の活鰻生産者には後継者がほぼ全戸で確保されており，グルー

プの活鰻生産者と大森淡水との関係が片務的になっておらず，良好な関係が維持されていることが分かる。また鹿児島県内の活鰻生産者においても後継者の確保が進展している。

養鰻業という家業を事業継承したグループ員の後継者達は鰻を飼養する自家の池の水温や水質，気象条件を子供のころから熟知しており，さらにデータの管理もできているので，今後とも高品質の活鰻の生産ができるものと期待されている。大森淡水ではこれらの生産者との連携を最重視し，共存共栄を企業理念として連携を深めている。

３．全国の鰻の取扱量と大森淡水の全国シェアおよび販売形態別内訳

図１－18に示すように我が国の鰻の稚魚（シラスウナギ）の取扱い量は約21.7トンであり，それが180～200日間養殖されて２万トンの活鰻になる〔5〕（注：稚魚の捕獲量は毎年大きく変動するので〔6〕，本稿の諸数値は稚魚の捕獲量により変動し，確定値ではないことを付言しておく）。その２万トンのうち蒲焼きやその冷蔵・冷凍品などの加工品用に1.5万トン，活鰻として５千トンが流通している。因みに12月から３月にかけて捕獲される稚魚の捕獲量は年ごとに変化するので，上記の数値はここ数年間の平均的な数値である。鰻の需要は季節性があり，夏の「土用の丑の日」（2020年は７月21日と８月２日）の期間の鰻の需要は他の月の約２倍であり，宮崎県ではこの期間の販売を目指した出荷量が多い。

大森淡水は図１－19に示すように年間約３トンの稚魚を取扱い，それを養殖して活鰻にして自社で約1,000トン，宮崎県内のグループ員で1,500トン，鹿児島県内のグループ員で1,500トン合計4,000トン水揚げしている。

その4,000トンのうち2,000トンを活鰻として全国の専門店や地域問屋にトラックあるいは飛行機で北海道まで空輸している。また加工品用に2,000トンを仕向け，蒲焼きやその冷蔵・冷凍品にして全国の鰻飯店やコロナ禍の近況では個人への配送が増加している。

4．大森淡水の養殖・流通システム

大森淡水の養殖・流通システムを資料に基づき検討しよう〔5〕。

①池入れ

地下水を入れた池で，稚魚を160〜200日間オリジナル配合飼料（「ハーブ育ち大森屋」）を給餌して養殖する。その間，毎日水質チェックを行っている。

②池上げ前検査

池上げ予定の池からサンプル活鰻を抜き取り，高速液体クロマトグラフィーを使用して医薬品の成分残留検査を実施している。また試食検査をして鰻楽ブランド適合品かチェックしている。

③池上げ前餌止めと池上げおよび入荷

出荷後にすぐ食品として取扱えるように餌止めをして鰻の状態を整えている。大森淡水の従業員がグループ員の生産者と一緒になって池上げを手伝っている。池上げ日には３〜５ヶ所の養鰻場より仕入れを行っている。

④締めと選別・計量・保管・出荷

仕入れ後の鰻を，うなぎの里の地下水を使用して畜養プールで一旦保管し，鰻を一匹一匹担当者がチェックし，手作業でサイズごとに選別し，計量している。

出荷前の鰻をうなぎの里内の畜養場（立場）でロット毎に保管している。このロット段階ではグループの生産者別・池別に分類されて保管されており，トレースバックができるトレーサビリティシステムが構築されている。

大森淡水では自社加工場への出荷は勿論であるが，九州・関西・関東・東北・北海道の鰻専門店の卸売業者に出荷している。出荷時には活鰻をビニール袋に入れ，氷と水と酸素を入れて箱詰めしている。

5．大森淡水の加工システム

大森淡水の加工システムを検討しよう。

①加工場入荷

加工場入荷前に，加工で使用するための活鰻を試食検査し，検査結果を記録するとともに加工計画を作成している。入荷はロット管理ができるように入荷している。

②割き室・投入室・自動反転

割き室では入荷日，生産者別，池別，サイズ別にロット管理され，１尾ずつ手作業で割いている。割かれた鰻を投入室に移し，上火は遠赤バーナー，下火は備長炭を敷き詰めた焼き台に投入する。皮面を焼き，次に自動反転して身面を焼き上げている。

③白焼・蒲焼

鰻の中心温度が95℃以上で焼き上げ，その後蒸し機で身を柔らかくしている。蒲焼にするためタレを浸けて焼く工程を４回繰り返している。タレは長年の試行錯誤の研究を重ね，着色料を使用していないこだわりのタレを開発している。

④急速凍結・計量包装・真空パック

大型ツインタワースパイラル式IQFで－45℃の中で約１時間急速凍結して，美味さと鮮度を閉じ込めている。凍結した加工品を金属探知機と自動サイズ選別機を通し，自動計量して５kg毎に包装している。商品によっては深絞り真空パック機でパックしている。

６．不測の事態を想定した柔軟な経営戦略
〜多様な商品製造と柔軟なサプライチェーンの構築の重要性〜

大森淡水では主に３つの不測の事態に備えている。第１は稚魚が不漁で価格が高騰し，活鰻のコストが高騰した場合，第２は稚魚が豊漁で活鰻の価格が下落した場合，第３は今回のコロナ禍のような不測の事態が生じた場合である。

大森淡水では３つの不測の事態に即応して対応できるように常に柔軟な経営戦略を策定している。第１の稚魚の不漁・価格高騰時には，図１－20のように①稚魚の養殖期間を長くして活鰻の体重を重くして，活鰻の単位重量当たりコストの削減を図り，②多様な商品の加工を行い，③ギフトや直販など高価格帯商品への消費誘導を図っている。

第２の稚魚の豊漁・価格下落時には，図１－21のように①活鰻の製造比率を

高め，加工品の積極販売をしている。製造は通常年間2,000トンであるが，豊漁時には2,500トンまで製造可能である。②連携加工メーカーへの活鰻の供給量を増やし，活鰻の国内需給調整を図っている。

第３は今回のコロナ禍のような事態，専門店での需要減，海外輸出の縮小の場合は，図１－22のように①活鰻での販売量を減らし，加工量を増やして活鰻の需給調整を図り，また②多様な商品を開発し，③多様な販売チャンネルを駆使したサプライチェーンを構築している。

大森淡水では特に販売先の分散を重視している。①活鰻を専門店に60億円，加工メーカーに10億円販売している。また②加工品を量販店に35億円，ギフト・通販に30億円，直接配送で10億円を販売している。このような販売先の分散によりコロナ禍でも安定した販売額を維持している。

図１－18　我が国の鰻のサプライチェーン

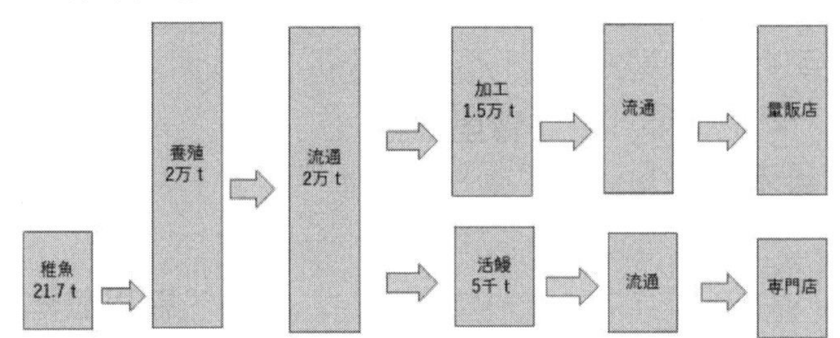

資料：大森淡水提供。

図１－19　大森淡水の全国シェア

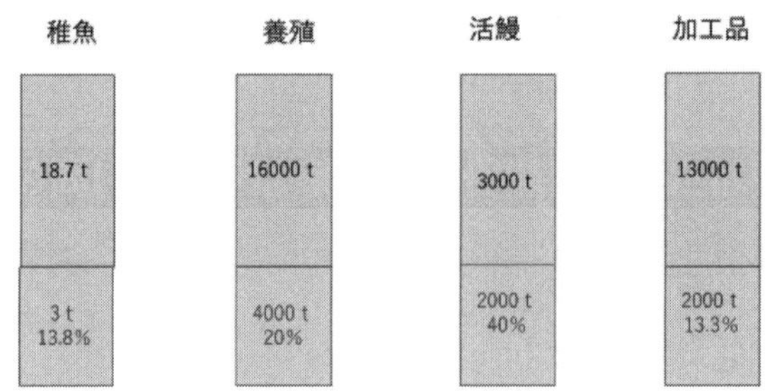

資料：大森淡水提供。

図１－20　稚魚の不漁、価格高騰の時の対応

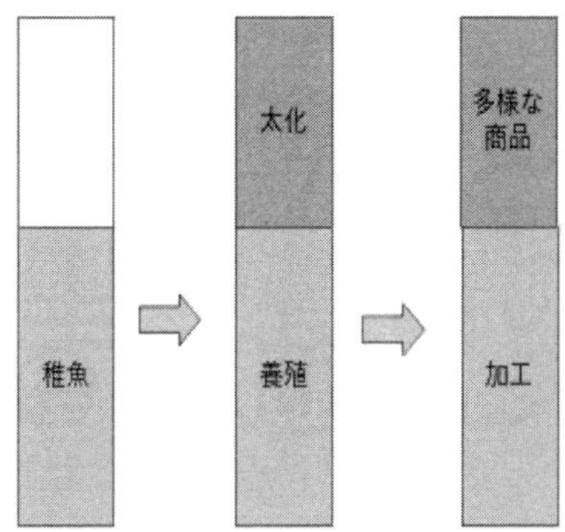

資料：大森淡水提供。

図１－21　稚魚の豊漁、価格低下の時の対応

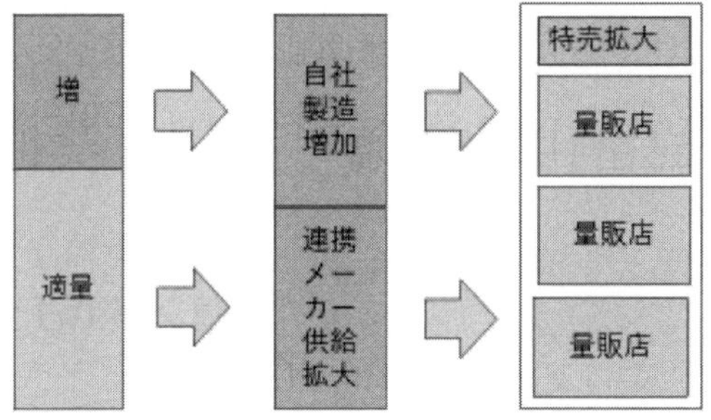

資料：大森淡水提供。

図１－22　不測の事態に備えた多様な分散販売

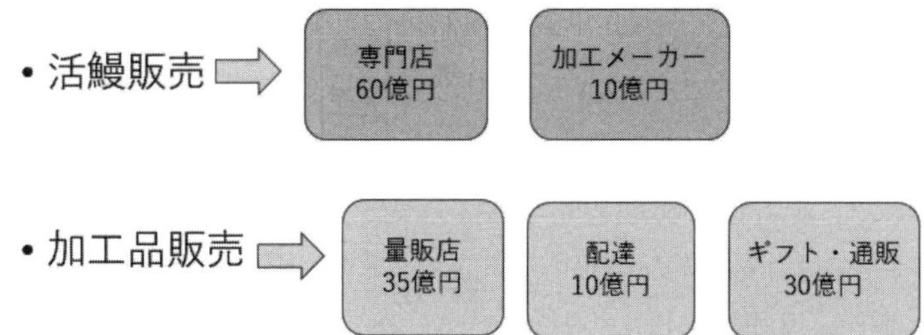

資料：大森淡水提供。

第5節　むすび

2020年11月20日現在の新型コロナウイルス新規感染者数は，東京で過去２番目に多い522人，大阪では過去最多の370人，北海道も過去最多の304人となり，全国でも過去最多の2,411人になるなど新規感染者数が増加し，当面コロナ禍は収束が見通せない状況にある。

コロナ禍は国民の行動様式を変容させ，制約するので，経済活動が萎縮し，失業者が増加している。特に飲食店やホテル・旅館で倒産が相次いだために外食産業が疲弊し，和牛肉などの高級食材の消費が敬遠され，逆に巣ごもり需要に対応した普通食材の豚肉，野菜の消費が拡大している。

このような状況下で食品産業や企業が生き残っていくためには何が必要か今後の課題について優良事例分析を通して考察した。得られた結果は次のように要約される。

①不況の状況下では外食や外飲は敬遠され，巣ごもり需要が発生するので，高級食材より普通食材のニーズが強くなる。

②量販店での普通食材の販売が拡大する。

③消費者はコロナ感染を恐れて，生協の個別配送やインターネットでの購入を拡大する傾向がある。

④巣ごもり需要でニーズが強い食材は時短料理に適した普通食材である。

⑤消費者は生鮮にしろ，加工品にしろ国産で安全安心な良質食材を望んでいるので，食材供給者は食材の質的要望に対応する必要がある。

⑥食材供給者は単一商品の単一販路への大量出荷から，ビジネスのリスクマネジメントを考慮して，平素から多様な商品を開発し，複数の販売先を常日頃から確保していくことが必要である。

今後の社会は，予測困難なVUCA時代になると思われ，Volatility（変動性），Uncertainty（不確実性），Complexity（複雑性），Ambiguity（曖昧性）が重要なキーワードとなる時代である。従って，食品産業や企業にとってもリスクマネジメントが非常に重要になるので，時代に即応した柔軟な経営戦略の策定と迅速果敢な実行が重要となる。

参考文献

〔1〕内閣府経済社会総合研究所「2020年７～９月期四半期別GDP速報」2020年11月16日。
〔2〕日本経済新聞社，2020年８月１日朝刊。
〔3〕帝国データバンク「新型コロナウイルス関連倒産」2020年11月19日公表。
〔4〕総務省「労働力調査（基本集計）2020年９月分結果」2020年10月30日公表。
〔5〕株式会社大森淡水提供資料。
〔6〕水産庁「ウナギをめぐる状況と対策について」令和２年６月。

《謝辞》
本稿を草するに際し，我々の訪問を受け入れてくださり，懇切丁寧な説明と詳細な資料提供，工場内案内，草稿の校閲などを頂いた株式会社大森淡水の大森伸昭社長様と社員の皆様に深甚なる謝意を表します。

第2章　家族農業における次世代継承と地域農業の振興

── 秋田県の肉用牛経営の取り組みを事例として ──

中川　隆

第1節　はじめに

2017年の国連総会において，国際連合は2019～2028年を国連「家族農業の10年」と定めた。国際社会は家族農業を「持続可能な開発目標（SDGs)」のなかでも重要な主体として位置づけている（小規模・家族農業ネットワーク・ジャパン(SFFNJ)〔1〕)。洋の東西を問わず，農業経営の大部分は家族農業経営であり，わが国においても家族農業を重視する具体的な政策対応が迫られている。近年，わが国の農業においては，企業の農業参入や集落営農組織の形成など，大規模化や法人化が重点的に志向されているが，家族農業経営の動向にも注視する必要があろう。

以上の背景を踏まえ，本章では，まず，わが国の家族農業の動向を踏まえたうえで，家族農業経営における次世代継承なかんずく世代間連携の重要性を検討することを第1の課題とする。次に，秋田県で肉用牛経営を営む家族農業経営を事例に親子家族経営における世代間連携の実態を検討することを第2の課題とする。さらに，家族農業経営が地域農業の振興に果たす意義について考察することを第3の課題とする。なお，本章が事例とする農業経営は同県由利地域の2戸の肉用牛繁殖経営および肥育経営であり，2017年8月に実態調査を実施した。

第２節　家族農業の動向と次世代継承の重要性

１．家族農業経営の動向

ここでは，『農林業センサス』を基に，わが国における家族農業経営の動向を検討しよう。

2020年現在，わが国の農業経営体数は107.6万経営体であり[1)]，このうち，家族で営む個人経営体すなわち家族農業経営は103.7万経営体，団体経営体は3.8万経営体である（表２－１）。農事組合法人や集落営農，会社法人等各種団体の経営体数を表す団体経営体数の割合は全体の3.5％にすぎず，わが国の農業経営体の大部分が家族経営であることをあらためて確認することができる。また，直近５年間で30.3万戸の個人経営体が離脱しており，家族農業経営においては高齢化に伴う離脱が顕著であり深刻であることも確認される。

表２－１　わが国における農業経営体数

（単位：千経営体）

	2010年	2015年	2020年
個人経営体	1,644	1,340	1,037
団体経営体	36	37	38
法人経営体	22	27	31
農業経営体	1,679	1,377	1,076

注：2020年の数値は概数値である。
資料：農林水産省『農林業センサス』

さらに，高齢化や少子化に伴う世帯規模の縮小はかつての日本農業の典型であった三世代家族経営をきわめて少ないものにしている。表２－２はわが国における家族経営構成別農家数の構成比をみたものである[2)]。販売農家（家族経営体）に占める一世代家族経営の割合は69.1％であり[3)]，経営主が65歳以上においては76.8％となっている。経営主が65歳以上では夫婦家族経営の割合が44.5％と高いことも注目すべきであり，農業者の高齢者層への偏りを端的に示すものである。一世代家族経営の比率の高さは，そもそも農業の継承が親から子への時代ではなくなっていることをあらためて示すものであるが，本章で事例として取り上げるのは全体の3割弱を占める二世代家族経営なかんずく親子家族経営であり，そこでの世代間の連携である。家族農業経営の持続性の検討という意味でも，二世代家族経営の実態に着目したい。

表2－2　わが国における家族経営構成別農家数の構成比

（単位：%）

		2010年	2015年
販売農家全体			
一世代家族経営		67.7	69.1
	一人家族経営	32.6	33.3
	夫婦家族経営	34.6	35.2
二世代家族経営		29.6	28.6
	親子家族経営	29.4	28.4
三世代家族経営		2.8	2.3
経営主が65歳以上			
一世代家族経営		75.8	76.8
	一人家族経営	30.9	31.8
	夫婦家族経営	44.6	44.5
二世代家族経営		23.0	22.0
	親子家族経営	22.8	21.8
三世代家族経営		1.2	1.2

資料：表2－1に同じ。

表2－3はわが国における農業後継者の有無別農家数の構成比をみたものである。同居農業後継者がいない農家の割合は全体の70.1%であり，5年間で10%以上増加している。また，他出農業後継者がいない農家も全体の過半にのぼる。農業経営において後継者確保がきわめて重要な課題であることはいうまでもなく，とりわけ家族農業経営においては，世代交代に向けた経営継承対策が最大の課題となっている[4)]。

表２－３　わが国における農業後継者の有無別農家数の構成比

（単位：％）

	2010年	2015年
販売農家全体		
同居農業後継者がいる	41.4	29.9
男の同居農業後継者	38.1	27.3
女の同居農業後継者	3.3	2.6
同居農業後継者がいない	58.6	70.1
他出農業後継者がいる	18.0	18.8
他出農業後継者がいない	40.6	51.3

資料：表２－１に同じ。

２．家族農業経営の優位性

連続性や経営継承性を基盤としてきた家族農業経営であるが，前述のように，後継者問題の深刻化など，わが国の農業をめぐる現況はその存立を脆弱なものにしているのが実態である。ところで，家族農業経営の優位性について，どのような議論が展開されてきたのか，主に飯國〔4〕に依拠しつつ，既存研究を基に簡単に整理しておこう。

金沢〔5〕は家族農業経営の優位性において強調すべきはその柔軟性であるとし，次の５点を挙げている。①日常のコミュニケーションの柔軟性，②労働の協業調整，労働調達の柔軟性，③継承の柔軟性，④家計の柔軟性，⑤相互扶助の柔軟性である[5)]。

また，速水〔7〕は以下のような論を展開している。「農業は生物を対象とし，自然変動の影響下に生産が行われるから，作業を標準化することは困難」であり，「農作業は工場とは比較にならぬ広いスペースにまたがって行われるから，管理者が監視の目をとどかせることも容易ではない」という前提で，「家族という強固な共同体関係にもとづく「監視せずとも働く」労働力こそが，監視の困難な農作業にとり他の生産組織に比べ，家族経営の有利性を高める基本的要因」とし，「機会費用の低い家族労働を最大限に利用し，乏しい土地を最大限に利用して，経済的リスクを低める能力をもって，家族経営農家は強靭な生命力を持ち，前近代社会のみならず産業化された社会においても生き残ってきた」としている。

ただ，飯國〔4〕が指摘するように，現在のICTの普及やスマート農業の展開による農業技術の形式知化の推進などは，作業の標準化が困難であるという農業の前提を崩すものであり，家族農業経営の優位性を支えてきた基盤が揺らいできていることも事実である[6)]。

3．次世代への早期経営継承の重要性

本章が事例とするのは，親世代とうまく連携を図りながら肉用牛生産に奮闘する2戸の若手農家である。いずれも30歳前後で経営主となり，早期に親から農業経営を継承している。

ここでは，柳村〔8〕の議論を踏まえ，二世代家族経営における早期経営継承の重要性を検討しよう。

一般に，農業経営の事業規模は，農地など経営の固定的な生産要素の大きさ（ファームサイズ）とともに経営の操業度によっても影響される。ここでは，単純化し，経営の操業度は経営者能力Mにより決まるものとし，ファームサイズの規模などは考慮に入れないことにする。このとき，農業経営の事業規模は経営者能力の関数，すなわち，B＝F（M）として表され，そのうえで以下のようなことを想定する。

①後継者は親と30歳の年齢差があり，後継者35歳，親65歳のとき，経営主の交代がなされる。就農年齢は20歳とする。

②親の経営者能力Mp，後継者（子）の経営者能力Mcは，就農後の経験年数に規定される。経験年数10～30年にかけて経営者能力は向上し，60歳頃ピークに達した後，緩やかに低下する。

これをモデル的に示したのが図2－1である。

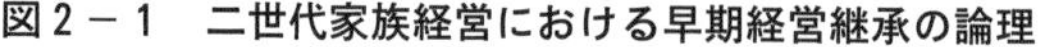

図２－１　二世代家族経営における早期経営継承の論理

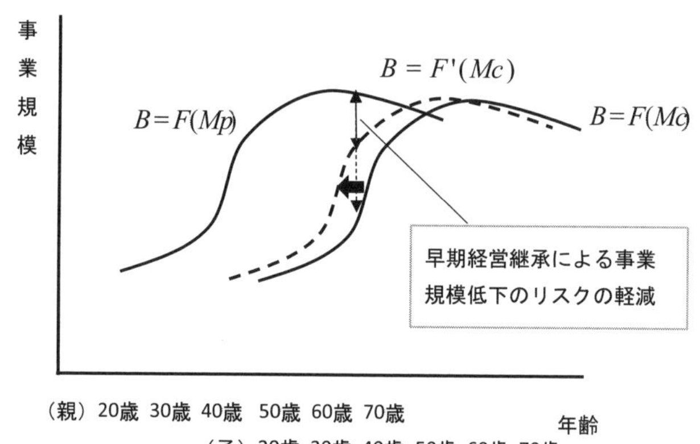

資料：柳村〔8〕p.83の図を参考に作成。

図２－１は単純化のため，考慮すべき幾つかの要素が捨象されている。農業経営の事業規模に影響を及ぼす要素としての農場規模や労働力数，労働力の能力変化などである。すなわち同図は親子二世代が農業に従事する直系家族による農業経営を想定しながらも，Ｂ＝Ｆ（Ｍ）を一世代家族経営におけるアグリカルチュラル・ラダーのように描いている。しかしながら，ここで重要なことは，二世代家族経営において親子間で経営主の交替が行われるかぎり，経営者能力が十分でない後継者に経営継承を行わざるをえず，経営者機能が断絶し事業規模低下のリスクにさらされる局面が必ず生じることである（図２－１の破線部分）。この意味で，次世代への早期経営継承（Ｂ＝Ｆ’（Mc））は，経営主交替時の事業規模低下のリスクを軽減する対応として捉えることができる。

現実には，二世代家族経営における早期の経営継承は，本章の事例で検証されるように，世代間連携（親子間の労働の協業調整や相互扶助）による対応（Ｂ＝Ｆ（Mc）を左上方向にシフトさせる対応）で実現される。世代間連携が経営継承を円滑にし，後継者の経営者能力を涵養し向上させるわけである。

第３節　事例概要～秋田由利牛の取り組み～

１．秋田由利牛の概要

本事例が舞台となる秋田県由利地域は県南西部に位置し，由利本荘市とにかほ市から構成される。南に鳥海山，西に日本海を望み，四季折々の多彩な自然に恵まれた地域である。同管内の総面積は1,451㎢で県全体の12.5％を占めており，由利本荘市の面積は1,210㎢で県最大の市町村である。

元来，由利地域は年間約2,000頭の和子牛を供給する有数の肉用牛繁殖地帯として知られ，近年，耕畜連携を促す秋田由利牛の生産振興が行われている。

当該地域において，秋田由利牛の前身である「由利牛」という名の黒毛和牛ブランドが1997年の農協（現在の秋田しんせい農業協同組合。以下，「JA秋田しんせい」という）肥育部会の設立にあわせて創立されている。その後，秋田由利牛協議会（以下，「協議会」という）が2006年２月に設立されている。協議会会員は現在26名で，会長は由利本荘市長が務めている。主な活動内容は，秋田由利牛に係る①調査・研究の実施，②流通・販売促進の実施，③消費拡大の推進，④生産拡大の推進である。

秋田由利牛は2007年３月，地域団体商標に登録されている。元来，由利地域は繁殖地帯であり，肥育農家戸数は少ない。なるべく出荷する子牛を地域にとどめ，地域で消費したい意向があり，戦略的にブランド化を促そうとする背景があった。現在，当該ブランド牛は県を代表する銘柄牛となっており，定義は以下のとおりである。

① JA秋田しんせい由利牛肥育部会員の飼育した黒毛和牛である。

② あきた総合家畜市場に上場された素牛を基本とし，他地域から導入の場合は飼養期間を20ヵ月以上とする。

③ 肉質等級が５等級および４等級とし，３等級の場合は30ヵ月齢以上とする。

④ 出荷６ヵ月前から飼料用米を１日１kg以上給与しているものとする。

2．秋田由利牛の生産・流通の実態

由利地域では，肥育農家13戸で1,190頭の肉用牛を肥育している。このうち，秋田由利牛として出荷する農家は５戸であり，年間出荷頭数は209頭（2016年度実績）である。

秋田由利牛取扱指定店の認証制度は2011年度に開始している。指定店の要件は，①協議会が認定する４社の卸業者（(有）秋田かまくらミート，（株）大商，（株）肉の若葉，（株）秋田県食肉流通公社）から仕入れること，②秋田由利牛を常時取り扱っていること，③年間取扱量がおおむね100kg以上であることなどである。2017年８月現在，指定店は飲食店26店，販売店15店である。図２－２に秋田由利牛および関連する地域ブランド牛の流通チャネルを示す。

図２－２　秋田由利牛および関連ブランド牛の流通チャネル

繁殖農家
家畜市場
肥育農家
と畜場
販売元
卸業者
小売店・飲食店
由利地域をふくめた秋田県内
あきた総合家畜市場
JA秋田しんせい 由利牛肥育部会員 飼養期間：適宜
（株）秋田県食肉流通公社
（株）秋田県食肉流通公社
・（有）秋田かまくらミート
・（株）大商
・（株）肉の若葉
・（株）秋田県食肉流通公社
秋田由利牛取扱指定店
（注）
その他の卸業者
秋田牛取扱店（指定店）
秋田県外
県外市場等
JA秋田しんせい 由利牛肥育部会員 飼養期間：20ヵ月以上
秋田県外
秋田県畜産農業協同組合
ミートショップちくれん
秋田錦牛取扱店（指定店）
その他の卸業者
秋田牛取扱店（指定店）

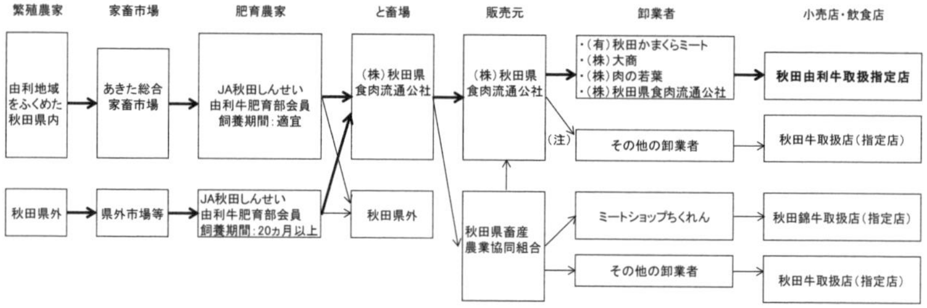

注：「肉質等級５等級および４等級，３等級の場合は30ヵ月齢以上」を満たさないものは，その他の卸業者に流通する。
資料：秋田由利牛振興協議会資料を基に作成。

第４節　家族農業経営における経営継承，世代間連携の実態①　～Ａ農場の取り組み～

1．経営の概要

経営主のＡ氏（32歳）は2009年６月に就農し，2011年に認定農業者となっている。現在，JA秋田しんせい和牛青年部会幹事である。労働力は，Ａ氏と経理等を担当する妻，両親，伯父の５名に加え，雇用３名の８名であるが，実質

的には家族５名で運営している。父親のＣ氏は肥育部門を担当するなど労働の協業調整を行っており，親子家族経営による和牛の繁殖肥育一貫生産を実現している。

2017年８月現在，繁殖雌牛59頭，肥育牛50頭，育成牛４頭を飼養している。ほかに3,000羽の比内地鶏生産，水稲作（３ha）を行っており，飼料用米は30aを作付している。草地面積（オーチャード，イタリアンライグラスが主）は18haであり，４棟の牛舎（肥育・繁殖１棟，繁殖１棟，育成２棟）がある。80頭規模への繁殖雌牛の増頭を考えているが，これまで敷地をフル活用し牛舎を建築してきた経緯があり，目下，施設用地の確保が課題である。

２．経営の特徴～世代間連携の実態～

就農当初，繁殖雌牛の飼養規模は20頭程度であった。2015年度に県の事業を活用し，繁殖雌牛30頭を導入している。近年，大幅な増頭を図っており，由利地域では最大規模である。父親のＣ氏が担当する肥育牛の年間出荷頭数は約30頭であり，うち８割が秋田由利牛として出荷される。

繁殖雌牛増頭への経緯については，肥育のみでは採算がとりづらいことから，経営として採算がとれる一貫経営に切り替えた。

現在，牧草の刈り取り・反転はＡ氏自らが行っている。牛舎を不在することが多く，牛温恵（2015年に導入）を利用した分娩監視，牛歩システム（2016年導入）を利用した発情発見を１人で担っている。牛温恵の導入によりピンポイントで分娩がわかるようになるなど労働負担軽減に大きく寄与し，分娩事故も少なくなった。

給与飼料は，一般メーカーの配合飼料を利用するとともに，Ｃ氏が経営するゆりファームで生産される飼料（子牛用のTMR混合飼料スーパーゆりBB，繁殖雌牛用のTMR混合飼料デイリースペシャル）を利用していることが特徴であり，ここにも親子間の労働の協業調整・相互扶助を認めることができる。

3．今後の課題と展望

繁殖雌牛の増頭にともない，人工哺育を始めており，とりわけ哺育技術を確立させることを課題としている。また，繁殖雌牛の分娩間隔は最短で380日だったが，増頭とともに420日まで延びてきている。１年１産（360日）を目標とした分娩間隔の短縮も課題である。

Ａ氏は，父親の肥育経営と連結した肉用牛一貫生産を今後は６次産業化により精肉販売まで拡張することを展望している。

第５節　家族農業経営における経営継承，世代間連携の実態②　～B農場の取り組み～

1．経営の概要

経営主のＢ氏（35歳）は2009年に就農している。主な労働力はＢ氏と妻の２名であり，父親のＤ氏がヘルパーとして加わる二世代家族経営を展開している。妻は経理を担当している。飼養頭数は繁殖雌牛50頭，子牛30頭であり，近年中に繁殖雌牛の更新を計画している。繁殖雌牛は100頭まで増頭したい意向である。草地面積は借地を含め18haであり，牛舎は２棟ある。牧草はリード，オーチャード，クローバー，イタリアンを栽培している。2013年度に県の事業を活用し，堆肥舎を建設している。2016年度の子牛販売総額は約3,000万円であり，出荷先は全て県内の家畜市場である。

2．経営の特徴～世代間連携の実態～

就農初期，成牛10頭を購入し，肉用牛飼養を開始した。県や市の事業なども活用しつつ，数年かけて現在の50頭規模に至っている。酪農を行う父親のＤ氏の指導を受け，早期離乳を実践していることがまず取り上げるべき特徴である。母牛の発情回帰を早め，分娩後１ヵ月での種付けを行うことで，１年１産を実現している。親子家族経営における世代間連携，とりわけ息子世代への技術継承が成果を上げているといえる。

また，Ｂ氏は省力化を図り，最大限の成果を出せるよう努力している。スマートフォンによる牛飼養管理の省力化は，2014年から実施している。2016年には監視カメラを牛舎内に４台設置しており，スマートフォンでフリーバーンの牛の状態を確認できるようにしている。監視カメラの主な機能は，分娩日を過ぎた牛の監視と発情発見である。夜間においても赤外線で発情がわかる。家畜人工授精師の資格を持っていることも強みである。

飼料給与作業には，後述のTMRセンターの責任者で飼料配合のプロである父親が関与する。給与飼料はゆりファーム飼料（繁殖牛用デイリースペシャル，子牛用スーパーゆりBB），くみあい飼料のものを利用している。ここでも，Ａ農場と同様の見事な世代間連携の実践を確認することができる。

３．今後の課題

規模拡大の意向はあるが，草地面積の制約が課題である。分娩間隔のさらなる短縮にも挑戦しているところである。また，繁殖経営の展開とともに道楽を兼ねた竹栽培による近隣の山の維持などを展望している。由利地域が誇る豊かな地域資源の未来世代への継承につながる構想であると評価できよう。

第６節　息子世代の家族経営を支える肥育経営の実態 ～ゆりファームの取り組み～

１．経営の概要

ゆりファームは2014年４月より，ゆり高原ふれあい農場の指定管理者として運営されている。資本金は1,000万円である。当該経営の代表取締役社長は，前述のＡ氏の父親Ｃ氏である。現在，専従者３名のほか臨時オペレーター２名を雇用し，牧場を管理している。牧場では，肥育牛230頭，預託牛70頭（妊娠牛を草地に放牧）で計300頭を飼養している。300頭のうち，去勢は１割，残りは雌牛である。放牧地30ha，草地50haであり，３棟の牛舎がある。当該経営は秋田由利牛の基幹的な牧場であるが，由利本荘市の貴重な観光資源としても活用されている。

2．肥育経営の実態と課題

素牛の導入先は県内の家畜市場である。導入月齢は９ヵ月であり，導入時体重は300～320kgである。また，出荷月齢は28ヵ月であり，出荷時体重（枝肉重量）は500kgである。上物率は85％で，それらは秋田由利牛として出荷する。残りの15％は「秋田牛」として出荷する。以前は，事故が多発していたが，ワクチン投与や観察の徹底などが奏功し，近年，激減している。

肥育牛への米（あきたこまち，ひとめぼれ）の給与は2008年頃から開始している。契機は米の利用による由利牛の高付加価値化であり，美味しい和牛肉に仕上げること，特に味わいをすっきりしたものにすることであった。また，酒粕を導入したことも特徴である。飼料生産については後述するが，導入から出荷まで，後述の「ゆりスペシャル」とは別に単独で酒粕を500ｇ/日給与している。これの持つ生理作用により飼料用米の持続的給与が円滑なものになり，費用対効果の大きさを実感している。SGSは１kg/日給与している。

肥育牛の出荷先はすべて株式会社秋田県食肉流通公社である。その後，卸業者を通じ一部県外などにも流通される。

当面は，現在の１月当たり出荷頭数を20頭から30頭にすること，すなわちロット拡大を課題としている。都内に取扱指定店を進出できるほどの規模になれば，当該ブランド牛のプロモーションにおいて，よりバリエーションを持たせることができる。そのためにも規模拡大が課題である。

3．発酵TMR飼料生産の実態

1）TMRセンターの概要

当該センターは由利本荘市石脇字山ノ神（旧広域由利家畜市場敷地内）に立地している。活用した事業は平成26年度畜産競争力強化対策緊急整備事業であり，自給飼料関連施設（飼料用米TMRセンター）を整備した。施設規模は加工施設１棟198.0㎡，保管施設１棟148.5㎡であり，総事業費は約6,000万円である。事業実施主体は由利地域畜産クラスター協議会である。取組主体はゆりファームであり，B氏の父親であるD氏を中心に3名で飼料生産に携わっている。D氏自身は酪農（搾乳牛16頭を飼養）を行っている。同センターは2016年2月から稼働しており，勤務時間は8時～17時である。適正な備蓄量確保を念頭に，1ヵ月のストックに見合った量を生産している。

2）主な発酵TMR飼料原料と調達先

D氏はこれまで試行錯誤を重ねながら，「胃にやさしい飼料」を追求してきた。発酵TMR飼料生産のきっかけは，バイオエタノール生産に関する大学教授の講演である。牛の胃の発酵メカニズムとともに，いかにアルコール発酵させると飼料としての価値が高まるかについて学んだ。

発酵TMR飼料の主な原料は，発酵おから，お茶がら，おから培地，酒粕，焙煎大豆，籾米サイレージ，配合飼料（特配合），ミルクアップ，ゆりベースである。これらをもとに5種類のTMR混合飼料（①ゆりスペシャル（肥育牛用），②スーパーゆりA（肥育前期用），③スーパーゆりBB（哺育・育成用），④デイリースペシャル（搾乳・繁殖牛用），⑤ミセスブレンド（搾乳牛用））を生産している。このうち，最も高単価なものはスーパーゆりAで，67円/kg（運賃，税抜で400kgフレコン）である。原料の調達先は，往復1時間程度の食品工場から遠方は宮城県名取市に立地する食品工場（焙煎大豆）である。現在，ビール用大麦の調達なども検討中である。調達先はほとんど地場食品産業であるが，酒粕などは通年利用となると地域で賄いきれないため，県外からも調達している。

第7節　おわりに

本章では，秋田県で肉用牛生産を営む家族農業経営を事例に次世代継承なかんずく世代間連携の実態を検討した。家族農業において強みとされてきた労働の協業調整や相互扶助の柔軟性は確かに存在し，そのような利点を存分に活用している実態が明らかとなった。

同県由利地域では，早期に親から経営を継承した意欲あふれる若手農家が親世代と連携を図りながら繁殖雌牛の増頭に努めており，こうした世代間連携が地域の飼料生産，繁殖，肥育の連結をより円滑にしていることがわかった。A農場における規模拡大やB農場でみられた良好な繁殖成績は注目すべき世代間連携による成果である。このように，本事例は，親子二世代の連携・協業を核とした和牛生産の取り組みを地域ブランド牛の生産振興ひいては地域農業の振興につなげている好例である。ここに，家族農業経営における次世代継承，すなわち世代間の連携が地域農業の振興に果たす重要な意義を見出すことができる。

わが国の農業において生産基盤の弱体化が叫ばれるなか，今後とも本事例でみたような家族農業が各地で躍動し，地域農業がしなやかに根強く展開されることを期待したい。

引用文献

〔1〕小規模・家族農業ネットワーク・ジャパン（SFFNJ）編『よくわかる国連「家族農業の10年」と「小農の権利宣言」』農山漁村文化協会，2019年。

〔2〕農林水産省「令和元年版 食料・農業・農村白書」2019年。

〔3〕 澤田守「日本における家族農業経営の変容と展望」日本農業経営学会編『家族農業経営の変容と展望』農林統計出版，2018年，pp.25-47。

〔4〕飯國芳明「家族経営を経済学でとらえる」『農業と経済』第80巻第８号，2014年，pp.33-43。

〔5〕金沢夏樹「家族農業経営の現在」金沢夏樹編集代表『家族農業経営の底力（日本農業年報№２）』農林統計協会，2003年，pp.1-15。

〔6〕岩元泉「現代農業における家族経営の論理」『農業経営研究』第50巻第４号，2013年，pp.9-19。

〔7〕速水佑次郎『開発経済学—諸国民の貧困と富』創文社，2000年，pp.291-295。

〔8〕柳村俊介「大規模経営の継承と参入—北海道農業の課題」酒井惇一・柳村俊介・伊藤房雄・齋藤和佐『全集 世界の食料 世界の農村⑤ 農業の継承と参入』農山漁村文化協会，1998年，pp.65-111。

注

１）農業経営体とは，次のいずれかに該当する事業を行う者である。(1) 経営耕地面積が30a以上の農業，(2) 農作物の作付面積又は栽培面積，家畜の飼養頭羽数又は出荷羽数等，一定の外形基準以上の農業（露地野菜作付面積15a，施設野菜栽培面積350㎡，搾乳牛飼養頭数　１頭等），(3) 農作業の受託である。農林水産省〔2〕の基本統計用語の定義を参照。
２）表２－２および表２－３においては，本章を執筆している2020年11月28日現在，『2020年農林業センサス』では概数値しか公表されておらず，家族経営構成別農家数や農業後継者の有無別農家数などが公表されていないため，2015年までのデータとなっている。
３）販売農家とは，「経営耕地面積30a以上又は農産物販売金額が年間50万円以上の農家」である。販売農家以外の農家は自給的農家として区分される。農林水産省〔2〕の基本統計用語の定義を参照。上記の農業経営体の外形基準を満たした自給的農家は農業経営体に含まれるがきわめて少数であり，したがって，家族経営体は販売農家とほぼ同義として捉えられる。
４）澤田〔3〕を参照。
５）この家族経営の柔軟性の妥当性について，岩元〔6〕は現状を踏まえ検討を加えている。例えば，日常のコミュニケーションの柔軟性について，「今日の農家家族においても家族は「異なる生活様式のぶつかる場」となっていることからすると，コミュニケーションをとることは日常的に容易なことではなくなっている可能性がある」とし，「家族経営であっても構成員間のスムーズなコミュニケーションをとるにはそれなりの仕掛けが必要になっている」としている。ほかにも，金沢〔5〕が挙げた家族経営の柔軟性の妥当性については，十分な検討が必要であると考えられるが，ここでは踏み込まない。本章では，とりわけ労働の協業調整や相互扶助の柔軟性といった点に着目したい。
６）他方で，形式知化の困難な農業技術にともなう暗黙知の継承を家族農業経営に求める視点も今後より一層重要になるものと考えられる。

追記：本章は，中川隆「家族農業経営における世代間連携と地域農業振興～秋田県の肉用牛経営の取り組みを事例として～」『中村学園大学流通科学研究』第19巻第１号，2019年，pp.9-17に加筆修正を行ったものである。

第3章　スマート農業に関する九州の取り組みと今後の課題

中川　敬基

第1節　九州の農業概況と課題

1．九州の農業概況

農林水産省が5年ごとに調査・公表している農林業センサスによると，九州の農業生産は，戦後から1980年代まで一貫して増加し，1990年のピーク時には約2兆2,500億円に達した。九州では，米作の割合を低下させるとともに，野菜，果樹，花卉，畜産等へと経営の多角化を進め，施設や機械の高度化，組織経営への移行を図ってきた。近代化対策を講じることで，我が国の食料供給基地としての役割を担い続けてきたのである〔1〕。

一方，農業就業人口や耕地面積などの生産資源は，生産が拡大してきた時期も含めて1965年以降一貫して減少傾向にある。農林水産省の生産農業所得統計によると2012年の九州の農業就業人口は約45万人となり，1965年比で約16%にまで減少している。また耕地面積も約65haとなり，1965年比で約70%にまで減少している。これら減少の原因は，農業所得の低さが関係している。2012年の農業所得（個別経営）は，水田作が約62万円，畑作が230万円であり，施設野菜作でも440万円である。基本的に多くの品目において農業所得が低く，農業では持続的な経営を成立させることが非常に難しい現状にある〔2〕。

2．経営意識の芽生え

九州経済調査協会が2013年に九州経済白書2014年版「アグリプレナーが拓く農業新時代」において，農業生産法人へ経営状況等についてのアンケート調査を実施している。このアンケートでは，黒字経営体と赤字経営体に分類して集計を行っている〔3〕。

興味深いのは，「利益率」と「売上高」といった経営指標と，「生産方法」や「単位あたり数量」，「歩留まり率」といった生産技術である（図３－１）。「利益率」と「売上高」に関しては，黒字経営体は「利益率」をより重視し，赤字経営体は「売上高」をより重視する傾向がある。

また黒字経営体は，「単位あたりの収量」の増加よりも，「利益率」や「歩留まり率」を重視していることがわかる。黒字経営体は，従来の農業経営が重視してきた収量の確保といった面積あたりの生産性よりも，投資効率や損益を意識した生産性を重視した経営を行っているようである。つまりこのアンケートから，現在の農業が，家族経営から，組織経営へと大きく舵を切りつつあることがわかる。「生業」ではなく「事業」として，また「家業」ではなく「企業」として農業に取り組む経営体が増えているのである。

一方で，農林水産省の農林業センサスによると，九州の農業就業人口の平均年齢は，年々上昇しており，2015年は66.5歳に達している。現在の九州の農業生産は，高齢農業者が支えており，新規就農者の動向を考慮すると，今後も高齢者への依存度が高まる一方で，その高齢者労働力自体も縮小に向かう局面を迎えている。

農業労働力が減少していく中で，農業を企業経営へと転換させるためのリスクヘッジや，高齢者の労働負荷の軽減を実現していくためのブレイクスルーが必要である。

図3－1　経営上重視している指標

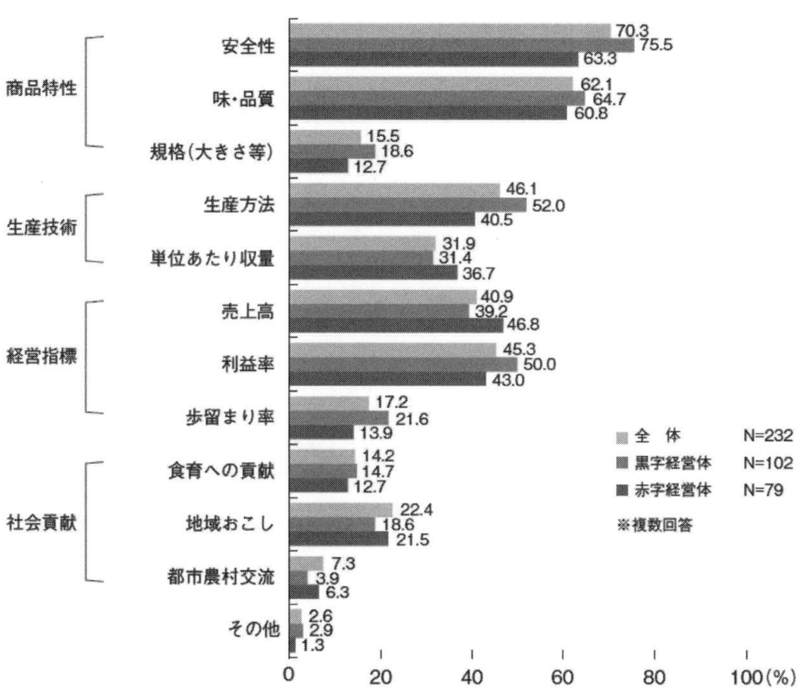

注1：九州・沖縄・山口の農業経営体1,739社を対象に2013年12月に実施。有効回答率16.4%。以下のアンケートも同様。
注2：2008～12年度決算の5カ年平均の営業利益で黒字・赤字を区分。
資料：九経調「農業経営体の経営実態に関するアンケート」より引用。

第2節　農業生産の技術革新

1．ブレイクスルーと期待されるスマート農業

農業において，損益や投資効果を意識する経営体が増える中で，事業の継続性と高度化を達成するための1つの手段として，スマート農業というキーワードが注目を集めている。農林水産省では，農業分野において先端技術の活用によって生産現場が抱える様々な課題の解決を図ることを目指し，先行企業等の

経済界や学識経験者，関係府省などの協力を得て，2014年３月にスマート農業が目指す将来像と，その実現に向けて重点的に取り組む課題について整理している。狙いは，ロボット技術やICT等の先端技術の活用が進めることで，生産現場の技術革新による競争力を強化することにある。

スマート農業が目指す将来像は，大別して５つある（図３－２）。①超省力・大規模生産の実現，②作物の能力の最大発揮，③きつい作業，危険な作業からの解放，④誰もが取り組みやすい農業の実現，⑤消費者・実需者に安心と信頼の提供である。以降では，各将来像の具体例と九州における先進事例を取り上げる。

図３－２　スマート農業が目指す将来像

資料：農林水産省ウェブサイト，https://www.maff.go.jp/j/wpaper/index.html,（参照 2020.11.29）

２．超省力・大規模生産の実現

まず超省力・大規模生産の実現である。この分野のフラッグシップは，GPS（Global Positioning System；全地球測位システム）等の衛星測位を活用した農業機械の自動走行システムである。また自動走行だけでなく，夜間走行や複数走行も実現させ，ダイナミックな省人化を図ることが目的である。このシステムは，主に㈱クボタ，ヤンマー㈱等の大手農機具メーカーが中心となって研究開発を進めており，2018年にはTBS系列で放映された『下町ロケット』というドラマでも取り上げられたことから，一般的な認知度も高い。

想定している自動走行は大きく分けて，有人走行と無人走行の２種類があり，両者ともGPSガイダンスとオートステアリング機能を搭載している（図３－３）。有人走行の場合は，圃場内で予め決められたラインを超えた場合，手動に切り替えて転回するといったパイロットが運転するケースがある。無人走行の場合，現在は規制のためコックピット内に人が搭乗する必要があるが，基本的に搭乗者を含むオペレーターでの作業はない。最近では，慣性計測センサーの精度が向上したため，車体の向き，圃場の凹凸等を把握できるため，整備された畑以外に，ぬかるんだ田んぼ等への応用が検討されている。さらには準天頂衛星「みちびき」の利用により，基地局のない地域でも展開可能であることから，スマート農業における目玉プロジェクトとして期待されている。一方で，サービスコストの低減が必要であり，初期コストが高いことに加え，運用開始後のデータ通信費の負担や，高齢農業者でも扱いやすい操作性の達成など，運用面での導入ハードルも多い。

図3－3　自動走行する水田農業機械

コックピット内部

自動運転農機

資料1：㈱クボタウェブサイト，https://www.kubota.co.jp/，（参照 2020.11.29）
資料2：「農業ビジネスマガジン」2016.vol.12，イカロス出版。

3．作物の能力の最大限に発揮

2点目は，作物の能力を最大限に発揮させる取り組みである。センシング技術や過去のデータに基づくきめ細やかな栽培管理を行って，作物のポテンシャルを最大限に引き出し，多収・高品質を実現することが目的である。

例えば従来からJA単位でも，衛星画像を使って米麦の作付状況や面積，収穫量を調査していた。今後は，農家の規模拡大に伴い，個々の農家が自身の圃場を管理するためのツールとして，主にドローンに搭載したカメラやセンサーを活用することを想定している。

従来の衛星画像では，衛星の周回上，簡便に何度も使えないことが課題であった。そのため今後は，利便性を高めるため，誰でも活用できるドローン画像の利用を促進させることを想定している。このサービスでは，地上100mからの撮影した俯瞰画像を数値表層モデル（DSM：Digital Surface Model）を活用して，メッシュのデジタル画像に変換し，稲の病気の発見や倒伏状況の分析からサービスを開始することを想定している（図3－4）。現在のところ，このような分析は，農業機械メーカーやIT関連企業といったシステムの開発や分析を行う専門企業のベテラン画像診断スタッフが判断をしているが，今後は，AIへの置き換えが検討されている。農業者自らが操作して撮影したドローンによる圃場の俯瞰画像を，特定のクラウドサーバーに定期的にアップロードすることで，圃場のわずかな兆候を捉え，後の異常との因果関係を自動分析するサービスが検討されている。

図3－4　土地利用型農業へのドローン利用

倒伏の様子

DSMによるデジタル化

資料：ドローン水稲モニタリング，http://dronerice.jp/，（参照 2020.11.29）

上記のような画像データのAI解析を全国に先駆けて，農薬のピンポイント散布に活用した先進事例がある。佐賀県のITベンダーである㈱オプティム（OPTIM）では，佐賀県と連携した取り組みを進めている（図3－5）。この取り組みでは，ドローンで空撮した4K画像のデータを同社のクラウドサービス（OPTIM Cloud IoT OS）に集約し，AIにより色，形状で異常のある葉を識別し，病気，害虫を早期発見できるサービスを開発している。例えば，害虫によって葉の食べ方が異なることに注目したものであり，佐賀大学の害虫に関する知見をAI化したことがポイントである。

また，高電圧ライトを装備したドローンを夜間に自動飛行させることで，害虫を駆除する仕組みも検討している。さらにドローン画像から生育状況を判断し，気象データと組み合わせて収穫時期を予測することを検討中である。

現時点でこれらの技術の課題は，ドローンから撮影しやすいさつま芋などの一部品目にのみ適用可能であるという点である。今後は，技術的な汎用性の拡大が必要であること，そして農作物毎の病気や害虫の知識データベース構築することが求められる。

またドローン以外のアプリケーション開発も必要であろう。例えば，眼鏡などのウェアラブル端末を着用して取得した画像データを活用することが可能になれば，より汎用性の高いサービスとなる。

図３－５　ピンポイント異常検知と農薬散布

圃場情報管理サービス「Agri Field Manager」

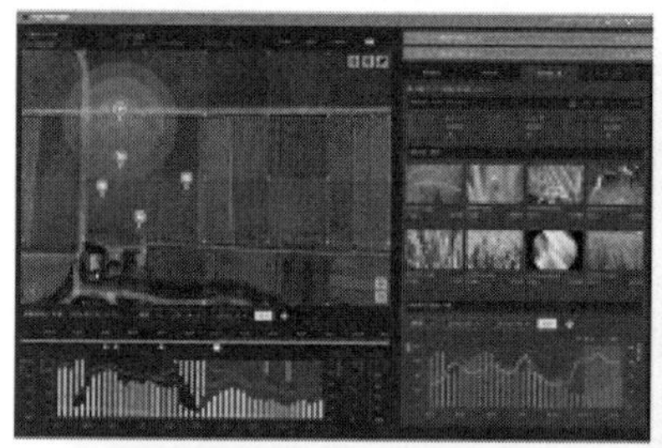

AIの画像解析

植生分析(NDVI)

OPTIM社のドローン

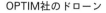

画像診断により異常箇所を検出して、ピンポイントで農薬散布

資料：㈱オプティムウェブサイト，https://www.optim.co.jp/，（参照 2020.11.29）

４．きつい作業，危険な作業からの解放

３点目は，きつい作業，危険な作業からの解放であり，収穫物の積み下ろしなどの重労働や除草等の危険な作業の自動化が期待されている。特にこの分野では，モーターや人工筋肉（ゴム）などを使った器具を人間が装着し，腰や膝などに掛かる負担を軽減するアシストスーツや，専門性の高い農作業ロボットが注目されている。

ながさき南部生産組合では，パート労働者が高齢化していることから，ベトナム人実習生が基幹的従事者となりつつあり，習熟度が低いため，収穫時期などの人手不足が深刻になっている。このような場合，経営上，収穫等のノウハウの可視化・サポート，農業技術の継承が問題となる。そのため同組合では，収穫時期において７割程度の作業を補完するロボットの導入を検討している。ながさき南部生産組合が開発・導入しているロボットは，自律走行し，センサーによる目とロボットアームによって自動で収穫する（図３－６）。なお日中は天候条件によりセンサーの感度によって収穫物の判定がしにくいため，夜間にロボットからの照明で色を判別し，収穫する仕組みになっている。つまりロボットにより夜間作業を実施して，昼間に習熟度が低くても落ち着いて作業できる時間を確保することを目指している。

今後の課題としては，収穫の確実性が挙げられる。密集している作物の中から，目的のものだけを傷つけずに収穫する指先は，まだ開発途上である。また収穫時期の作物を見分ける画像診断AIについても，微妙な色の変化を検知できるセンサーにはなっていない。コスト面の課題もあり，本格的な農業の生産現場での活用は，まだ時間が掛かるだろう。

図３－６　自律式収穫機の一例

トマト自動収穫機

栗拾いロボット

資料１：京都リサーチパーク　企業紹介資料，https://www.krp.co.jp/assets/img/sangaku/electronics/gnt/squse.pdf（参照　2020.11.29）
資料２：SMART AGR ウェブサイト，https://smartagri-jp.com/,（参照　2020.11.29）

5．誰もが取り組みやすい農業の実現

4点目は，誰もが取り組みやすい農業の実現である。この分野での技術実現は，先述した農機の自動化による省力化に加え，経験の浅いオペレーターでも高精度の作業が可能となる。加えて，農作業のノウハウをデータ化・可視化し，明確に伝えられるようにすることで若者等が農業に参入しやすくなることが期待される。

この分野のフラッグシップは，農業管理手法のICT化である。生産管理アプリは群雄割拠であり，富士通㈱が提供する食・農クラウド Akisaiシリーズ，東大発ベンチャーのベジタリア㈱が提供するパディーウォッチ，新潟発ベンチャーが開発したアグリノートなどがある。

生産管理アプリは，規模拡大により1経営体が抱える圃場数が増加したことで，利用者が急増している。アプリでは，専用デバイスを圃場へ設置することにより，水位，水温，気温，湿度などのデータを取得でき，最近ではアンドロイドやiOSのダウンロードアプリとしてスマートフォンで使うことが可能である（図3－7）。また外部アプリとの連携が特徴であり，グーグルマップや天候情報サイトなどと連携している。サービスそのものは，利用者が通信会社やリース会社と契約し，センサー代と通信代を支払うものがほとんどである。基本の契約料と通信費に加え，圃場毎にアカウントが必要となる場合が多い。管理圃場数が多くなればなるほど，利用金額も増える仕組みであるが，人出による管理も大変なことから，大規模化する農業生産法人での導入が進んでいる。

今後の課題としては，収穫時期の予測が挙げられる。圃場数が増えれば増えるほど，収穫施設との連絡・調整が難しくなり，出荷が滞る事例も少なくない。そのため圃場毎に詳細な収穫予測を行うことで，1経営体としての出荷予測を精緻化していく必要がある。

図3－7　農業におけるIT管理手法の一例

アグリノートのダウンロード画面　　**アグリノートとgoogle連携**

資料：アグリノート製品サイト，https://www.agri-note.jp/，（参照 2020.11.29）

6．消費者・実需者に安心と信頼を提供

5点目は，消費者・実需者に安心と信頼を提供できるシステムの構築である。これは，データプラットフォームの構築により，生産の詳しい情報を実需者や消費者にダイレクトにつなげ，安心と信頼を届けることに寄与する。

フラッグシップは，いわゆるトレーサビリティシステムを指すが，今回は特に生産履歴データを活用した営農指導サービスに着目したい。

農業管理では，今後，収集したデータを管理に用いるだけでなく，経営改善に用いていくことが重要である。宮崎県のITベンダーである㈱テラスマイルは，宮崎県でピーマンを大規模に経営する㈲ハッピーマンと連携して，テラカイゼンと呼ばれるサービスを開発している（図3－8）。これは，農家が持つ暗黙知（勘や経験）を形式知化・数値化し，稼げる農業に経営改善するためのデータ分析システムである。温湿度などの環境センサーや選果/出荷情報システムから様々な情報を習得し，気象・市況データ等と組み合わせて比較分析することで，農業経営の改善につながる仮説を導き出すことが可能となっている。従来，農家は栽培技術に重点を置き，出荷以降のプロセスへの参画度に乏しかったが，同社はデータを「見える化」することで，農家の経営力向上をサポートすることに重点を置いている。

今後の課題は，未来予測であろう。現在は，過去の経営と生産，市場データを見つつ，過去の分析をしている。しかし今後は，日ごとに更新される卸売市場データ等のオープンデータとも連携しながら，前向データ（予測収穫量等）の精度を向上させ，卸売価格の高いと思われる出荷先の提案をAIで行うなど，出荷・販売予測のできるサービスが期待される。

図３－８　農業データ集約による経営指導

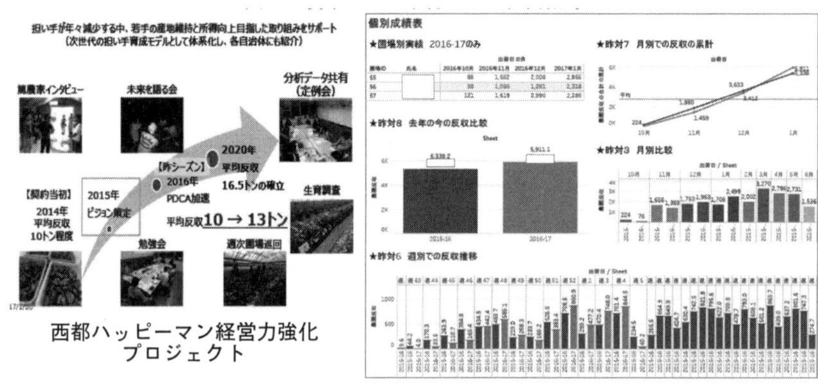

西都ハッピーマン経営力強化プロジェクト

テラカイゼンによる成績表の例
（成績表の項目は、設定した目標によって組み替えて提供）

資料：㈱テラスマイルウェブサイト，https://www.terasuma.jp/（参照 2020.11.29）

第３節　スマート農業普及に向けた取り組みと課題

１．スマート農業の普及とビジネスフィールド

2018年以降，農林水産省並びに国立研究開発法人農業・食品産業技術総合研究機構が中心となって，全国各地にスマート実証農場を整備する動きが進められている。これらの実証要件は，①１作を通してICTを活用し，省力効果や経営効果を確認し，②データの蓄積やその活用にあたり，農業データ連携基盤（WAGRI）と連携することである。それぞれの地区で農業者や行政，普及指導組織，研究機関，企業等で構成するコンソーシアムを立ち上げ，先進的な技術体系を「得られる」，「試せる」，「体験できる」場として提供することを目的と

している。これらの取り組みは，スマート農業に関係する技術を，実証から実用化へと繋げることが狙いである。特にこれらの活動により農業者はデータの打ち込みはできない，ハウス・圃場が幾つあっても出荷量は1つという農業経営を，ICT活用によって根本から変えていこうとする機運が高まっている。

ここで農業経営の管理項目とスマート農業のビジネス分野を整理しておきたい（図3－9）。まず最も注目を集めているのは，作物栽培の分野であろう。最新のセンシング技術を活用し，土壌管理や潅水等の栽培ノウハウ・知見の可視化が進められており，同時に省力化を目的とした農業機械の自動化技術の開発が進められている。さらに記帳記録についても，googleやアップル等のスマートフォンといったプラットフォームとの連携が進められており，専門的なIT知識に乏しくても，使いやすいアプリが次々に登場している。収穫出荷については，収穫の確実性に課題があり，収穫の可否を判定する画像認識の向上と安価なロボット開発が必要である。栽培・経営計画や経営管理は，特に規模拡大の意向が強く，管理圃場数の多い経営体において導入が進んでいる。営業・販売については，消費者と直接繋がるための直販プラットフォームサービスの活用が期待される。

図3－9　農業経営とスマート農業のサービス内容

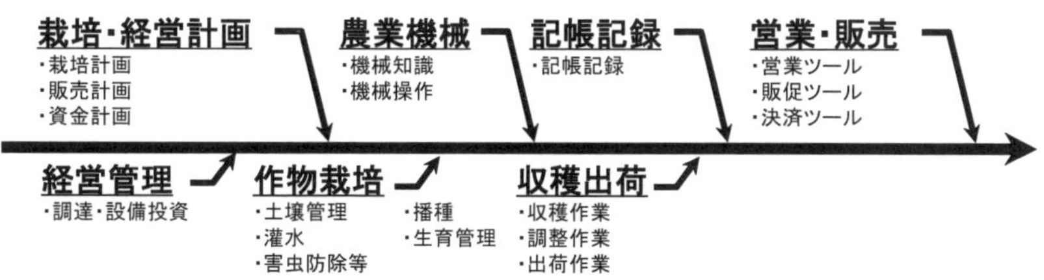

資料：筆者作成。

2．技術革新とベンチャー起業への出資拡大

農業分野では，ICTを活用してデータ集約と統合が進められており，データを活用した経営に取り組む企業も増えている。また，ベテラン農業者が持つ熟

練技能をAIによって可視化する動きも進んでいる。このようなトレンドは，必らずしも技術導入に意欲的な農業法人と大手ICTベンダーが牽引しているものではない（表3－1）。例えば，JA八女は，パナソニックと連携して，センサーとカメラにより果実の結実位置と色等を判別した上で，収穫の自動判別機能を持ったベテラン農家の目をAIに置き換える開発が進められている。また大学発ベンチャーも次々と創業する傾向にあり，企業規模の大小や本業の事業内容を問わず，農業者のノウハウや知見の可視化・AI化が活発に行われている。

表3－1　農業におけるAI活用の一例

No.	企業名	概要
1	クボタ	有人監視下でトラクターの無人走行を実施。圃場の広さや形状等のデータを活用して，GPSの位置情報から最適な作業経路を算出し，最適走行を実現
2	須藤物産	フルーツトマトを生産する施設内にGALCON（イスラエル）の植物工場用管理AIとともに，天候変化の予測に基づく給水等の制御を自動化
3	パナソニック	センサとカメラにより果実の色や場所を認識し，収穫時期を判定し，自動的に収穫を実施。夜間作業により昼間の人出による作業を軽減
4	JA八女	農水省のAI実証事業において，熟練農家の管理手法等を学習教材としてAIにより形式知化。タブレット端末で未就農者等の学習を支援
5	オプティム	AI搭載ドローンが農薬の散布機器を開発
6	オプティム	ドローンで畑の上から作物を撮影し，葉の色を画像認識で分析することで作物の育成状況を分析
7	クボタ	AIを搭載した自動運転のトラクターの開発
8	クレバアグリ	気温や湿度，二酸化炭素といったデータを収集してクラウド基盤上で分析し，日照量や水分量などを自動制御
9	セラク	気温や湿度，二酸化炭素濃度から土壌水分までハウス内のありとあらゆる状態が一目で確認できる温室内環境遠隔モニタリングシステム「みどりクラウド」
10	inaho	画像認識技術で収穫に最適な時期の作物を選択し，収穫対象をcm単位で設定できるロボットアームで収穫
11	アトラックラボ	カメラで地面を撮影し，その中に映っている栗をAIで認識し，その座標へロボットアームを動かし栗を拾うロボット開発
12	ラプラス	AIを活用した病害虫の診断エンジンを提供し，80種類以上の病気や害虫による被害を90%以上の精度で診断
13	スカイマティクス	スマートフォンのカメラ機能を使用して撮影した画像からAIがコメの等級を判定
14	Root	未活用の畑や空き地を活用したい人と，手軽に家庭菜園を始めたい人をつなげるプラットフォーム

資料：文献，ヒアリングを基に筆者作成。

AIやIoT等の最新技術の活用が進む中で，これら技術を使ったサービス開発を行う農業ベンチャーに対して，大手上場企業による出資も積極的になっている（表3－2）。特に農業が盛んな九州では，地場金融機関による資本・業務提携も生まれており，数億円規模の資金を調達しているベンチャー企業も少なくない〔8〕。

この2～3年で多く生まれている資本提携の出資企業の業態は，農業関連企業をはじめ，商社や食品製造業，公共交通，金融機関など幅広い。また九州をはじめとした地方銀行が出資を拡大させるのは，地域の基幹産業である農業を実証フィールドとして活用することで，IT関連企業の事業化を後押しする狙いもある。九州には，福岡市，宮崎市や熊本市などでテクノロジーベンチャーのビジネスプランコンテストなどが毎年行われており，各地のテックプランターを中心に，今後もアグリテックベンチャーが創出される可能性を秘めていると言えよう。

表３－２　近年の農業ベンチャーと出資者の一例

No.	農業ベンチャー企業	主なサービス内容	出資企業名
1	㈱農業総合研究所	農産物流通プラットフォーム	日本郵政㈱，日本航空㈱
2	ベシタリア㈱， ウォーターセル㈱	IoT/M2Mセンサ， ネットワーク技術	三菱商事㈱， ㈱電通国際情報サービス
3	㈱ルートレック・ネットワークス	AI潅水施肥システム	JFE商事㈱，オイシックス・ラ・大地㈱
4	㈱ファームノート	クラウド牛群管理システム等	住友商事㈱，ホクレン農業協同組合連合会，㈱宮崎銀行
5	プラネット・テーブル㈱	農畜水産物の流通・ 物流プラットフォーム	SBIインベストメント㈱， ハウス食品㈱
6	㈱マイファーム	耕作放棄地の再生及び 収益化事業　等	㈱ツムラ，ベルグアース㈱
7	㈱ファーム・アライアンス・ マネジメント	農業生産のフランチャイズ・チェーンの展開	西日本旅客鉄道㈱，双日㈱， ㈱滋賀銀行，㈱南都銀行
8	㈱アグリゲート	産地と消費者をつなぐ都市型八百屋「旬八青果店」運営	全国農業協同組合連合会， 三井物産㈱
9	㈱オプティム	IoT/M2Mセンサ，ネットワーク技術	㈱佐賀銀行，㈱みちのく銀行
10	㈱果実堂	大規模ベビーリーフの生産・販売	㈱大分銀行
11	テラスマイル㈱	農業に関する経営分析， データ分析	㈱筑邦銀行，YMFGアクセラレータプログラム（㈱山口フィナンシャルグループ）
12	㈱笑農和，inaho ㈱	水管理の遠隔操作・水田管理システム等	×-tech（㈱ふくおかフィナンシャルグループ，㈱ほくほくフィナンシャルグループ等）
13	グランドグリーン㈱	新種苗開発に向けた共同研究開発・技術提供等	Beyond Next Ventures㈱， SOMPOホールディングス㈱
14	㈱ナイルワークス	農薬散布・生育管理・農業用ドローンの企画製造販売	住友商事㈱，㈱産業革新機構， 全国農業協同組合連合会（JA）
15	㈱レグミン	農作業ロボット/管理システムの開発	インキュベイトファンド㈱
16	楽天農業㈱ （旧テレファーム㈱）	「農作業（栽培プロセス）」に 課金する，農産物栽培サービス	楽天㈱

資料：公益財団法人九州経済調査協会，「九州経済月報2019年２月号」，九州におけるスマート農業の可能性，生駒祐一，pp.18-27を基に筆者追記。

３．スマート農業の展開に求められる視点

これまで見てきたように，スマート農業は，農業生産技術・経営手法の可視化を促し，今後の農業生産の形を大きく変える存在として注目されている。スマート農業は，従来，新規就農者から熟練農業者に至るまでに必要であった様々なノウハウの習得の期間を短縮させ，コストダウンを図れるだけでなく，農業

を営む者が，農業経営に集中できる環境を生み出すことができる。

スマート農業の普及により，関連事業者による「データの利活用」が進む中で，今後の課題は「所得向上へのコミットメント」であろう。つまりスマート農業の実践により，農業経営者の所得を直接的に増やす仕組みの提供が必要である。

このためには，例えば農業側における決済機能の強化を促していく必要がある。従来型の市場流通から直接販売等の割合が増加する中で，消費者との直販をマッチングするプラットフォームが次々と登場している。今後は，このような直販ビジネスを促進させるために，クレジットカードや代金引換，コンビニ決済，銀行振込，電子マネー等の導入が必要である。

今後のスマート農業の展開は，農業の生産性の改善・向上といった視点だけでなく，流通業者や消費者との関係性を強化し，食の安定供給や安全性といったフードシステムの課題を解決することを念頭にした，技術開発やビジネス展開に対する支援がより重要になるだろう。

引用・参考文献

〔1〕農林水産省，「農林漁業センサス」。
〔2〕農林水産省，「生産農業所得統計」。
〔3〕公益財団法人九州経済調査協会「九州経済白書2014年版 アグリプレナーが拓く農業新時代」2014年。
〔4〕イカロス出版株式会社「農業ビジネスマガジン 2016 Winter vol.12」2016年。
産業開発機構株式会社「スマート農業バイブル」2016年。
〔5〕経済産業省 九州経済産業局「平成28年度 IoT推進のためのシステムインテグレーション・ネットワーク構築に係る調査 報告書」2017年3月。
〔6〕公益財団法人九州経済調査協会「研究報告235 Society5.0による地方創生 ～社会課題の解決を目指す九州企業～」2019年。
〔7〕日本農業新聞「農林就業52%が高齢者　業種別で最多　省力化重要に」https://www.agrinews.co.jp/p51948.html，2020年09月21日。
〔8〕公益財団法人九州経済調査協会，「九州経済月報2019年2月号」，九州におけるスマート農業の可能性，生駒祐一，pp.18-27。

第4章　「食と健康」に関わる機能性食品の効用を考える

―― 大豆および大豆製品の機能性成分に関する研究を中心に ――

太田　千穂

第1節　はじめに

わが国は，「人生100年時代」に向けて，健康寿命の延伸という基本構想を掲げている〔1〕。1970年代から1980年代にかけて，日本では飽食の時代と呼ばれるようになり核家族化，共働き世帯や単身世帯など，従前と比較してずいぶんと増加してきた。それに伴い，食の外部化（外食・中食），家族の個人がそれぞれ別々のものを食べるなどの個食化などや食物アレルギーなど健康上の理由から食の多様化が急増している。また，食品流通における食の欧米化，加工食品の普及，インターネット普及によるIT化，生鮮食品流通による電子取引に伴う商品コードの標準化など，食を取り巻く社会環境もめまぐるしく変化しており，我々はいつでも好きな物が比較的容易に選択できるようになってきた。しかしながら，豊富な食材が身の周りに出回り，選択性が多様化する一方で，美食・偏食などから生じる健康への悪影響が危惧されるようにもなった。20世紀も終盤になると高齢化社会問題とともに，1999（平成11）年，世界保健機構（WHO）は代謝症候群（メタボリックシンドローム）を提唱し，その危険因子が肥満をはじめ，糖尿病，心疾患，高血圧，高コレステロール血症，動脈硬化，骨粗鬆症，大腸がん，アレルギーなどの生活習慣病であることが分かってきたことから，その危険性に警鐘を鳴らした。このことからも世界的により一層の健康志向の機運が高まり，生活習慣病を予防する食品の研究が盛んに行われるようになった。

食品への期待は，栄養的な側面や感覚的な側面からだけではなく，栄養学的にこれまで軽視されてきた非栄養素成分が生体の生理統御系，すなわち免疫系，分泌系，神経系，循環系，消化系の調節に関与する効果である。また，その生活習慣病のリスクを軽減する機能を食品に求め，それに役立つものが機能性食品である〔2〕。

そこで本稿では，生鮮食品までも機能性を求める時代となった歴史的背景と生鮮食品に求める機能性についての現状について調査を行った。また，植物性由来の大豆および大豆製品に含まれる代表的な機能性成分について分析を行った。

第2節　食品に求める健康機能への変遷

1．機能性食品の概念と目的

1980年代には，高齢化社会の時代となり，それまで食品に求められていた「栄養」や「おいしさ」の役割から，それ以外の疾病の予防に寄与する食品に関する研究が盛んに行われるようになった。1984年から1986年にかけて実施された特定研究「食品機能の系統的解析と展開」において，食品の機能は栄養機能を一次機能，感覚機能を二次機能とし，さらに，生体制御，疾病の防止，疾病の回復，体調リズムの調整，老化抑制などの生体調節機能を三次機能と定義された。この三次機能を活用し，食品に新しい機能を付与した食品が機能性食品である〔3〕。そこで本節では，機能性を表示できる食品の分類について歴史的背景とともに調べた。

2．機能性食品の歴史的背景

従来，食品には，医薬品でないため病態の改善や具体的な効能効果などに関する表示はできなかった。しかし1991（平成3）年，機能性食品の制度化により「特別保健用食品」制度が施行された。食品に機能表示を許可・承認する制度は，日本で初めて食品に健康の効用を示す表現を審査評価する世界的な先駆けとなった〔4〕。

2001（平成13）年には，「保健機能食品」が食品衛生法施行規則に位置づけされた。2009（平成21）年より，これまで厚生労働省の管轄であったものが消費者庁へ移管したことから，保健機能食品制度を含む食品表示の制度が消費者庁に一元化された〔4，5〕。2015（平成27）年，「食品表示法」の施行により，機能性を表示できる食品には，(1)特定保健用食品，(2)栄養機能食品，(3)機能性表示食品がある。

(1) 特定保健用食品

特定保健用食品とは，からだの生理学的機能などに影響を与える保健効能成分（食品中の関与成分）を含んでおり，消費者庁長官の許可を受け，その成分を摂取することにより，「お腹の調子を整える」，「血中のコレステロールを正常に保つことを助ける」，「骨の健康に役立つ」などの特定の保健機能が期待できる（保健の用途に適する）旨の表示ができる食品である。また，食品表示法の新たな制度によって「疾病リスク低減表示」が認められるようになり，その関与成分として「カルシウム」と「葉酸（プテロイルモノグルタミン酸）」がある。

1993（平成5）年に特定保健用食品表示許可第1号として「ファインライス（資生堂）」と「低リンミルクL.P.K（森永乳業）」の2品目が誕生した。それ以降，特定保健用食品の国内市場は，2012（平成24）年には，1,000品目を超えるまでに増加した。その規模は6,000億円を超える勢いであり，2020（令和2）年4月現在では1,073品目が表示許可されている〔5〕。

(2) 栄養機能食品

栄養機能食品は，人の生命・健康の維持に必要な特定の栄養成分の補給のために利用される食品で，栄養成分の機能を表示するものである。科学的根拠が充分にある場合，栄養機能表示ができるが，それ以外にも1日当たりの摂取目安量（上限・下限量）や摂取上の注意喚起表示の義務がある。しかし，国が定める規格基準に沿っていれば，許可や届け等なくして栄養成分の表示が可能である。

現在，規格基準が定められている栄養成分は，ビタミン13種類（ナイアシン・パントテン酸・ビオチン・ビタミンA・ビタミンB_1・ビタミンB_2・ビタミンB_6・ビタミンB12・ビタミンC・ビタミンD・ビタミンE・ビタミンK・葉酸），ミネラル6種類（亜鉛・カリウム・カルシウム・鉄・銅・マグネシウム）およびn－3系脂肪酸である。

一方，医薬品の範囲に関する基準が改正されたことで，錠剤，カプセル等の剤型が「食品」として認可されるようになり，形状規制が外された。2002（平成14）年には，栄養改善法が廃止，「健康増進法」が施行され，現在の栄養成分等の食品表示の義務化への根拠ともなった。

2017（平成29）年の調査で，栄養機能食品市場は，約5,000億円の規模となり，全体の売り上げのうち，サプリメント形状で40％強，ドリンク形状および一般食品がそれぞれ30％程度を占め，現在に至っている〔6〕。

(3) 機能性表示食品

食品表示法の施行により，保健機能食品に機能性表示食品が新たに加わり，その届出が開始された。この制度は，国の定めるルールに基づき，事業者が食品の安全性と機能性に関する科学的根拠などの必要な事項を，販売前に消費者庁長官に届け出れば，機能性を表示できるというものであり，特定保健用食品よりもかなり緩和された機能性食品である〔7〕。

機能性表示の科学的根拠とするには，その食品でヒト介入試験を実施するか，文献調査によりその機能性を系統的に調べる研究（システマティック）レビューで得るか，のどちらかである。届出された情報については，消費者庁のウェブサイトで確認できる〔7〕。

2018（平成30）年の調査で，機能性表示食品の市場は，制度発足から4年後の届出件数が1,785件となり，特定保健用食品の許可件数を超え，市場規模も2,000億円に達し，現在の健康食品市場を急成長させている〔8〕。

第3節　生鮮野菜に求められる機能性

1．本節の背景と目的

わが国では，食品表示法により栄養成分表示の義務化，加工食品と生鮮食品区分の統一，栄養機能食品やその他のルール等が改善され，生鮮食品である野菜に対しても機能性の表示が可能となった。

一方，生活習慣病とそれを予防する食品に関する研究は盛んに行われるようになり，1990年代にアメリカ国立癌研究所（NCI）でスタートしたデザイナーフーズ計画は大変注目を集めた。これはがん予防に役に立つ可能性をフィトケミカルに見出し，その成分のもつ抗酸化能に着目し，特定したものである。フィトケミカルとは，「ヒトの生命維持（栄養機能）として必須ではないものの，健康を維持するために良い作用を与える植物由来の化合物」を意味するものである。また，がん予防に有効性があると考えられる野菜類40種類が公開され，野菜の重要性が示された。図4－1にはその効果が発揮されるといわれる食品をデザイナーズフーズのピラミッドとして示しており，特に先端にある食品，すなわち，ニンニク，キャベツ，甘草，大豆，生姜，セリ科植物で最も効果が高いとされている〔9, 10〕。そこで本節では，生活習慣病予防における野菜の効用および最近話題になっている機能性表示野菜について調べた。

図4－1　デザイナーズフーズのピラミッド

ニンニク、
キャベツ、甘草、大豆、生姜、
セリ科植物（ニンジン、セロリ、パースニップ）

タマネギ、お茶、ターメリック、玄米、全粒小麦、
柑橘類（オレンジ、レモン、グレープフルーツ）
ナス科（トマト、ナス、ピーマン）
アブラナ科（ブロッコリー、カリフラワー、芽キャベツ）

メロン、
ハーブ（バジル、タラゴン、エンバク、ハッカ、
オレガノ、タイム、アサツキ、ローズマリー、セージ）
キュウリ、ジャガイモ、大麦、ベリー類

重要度

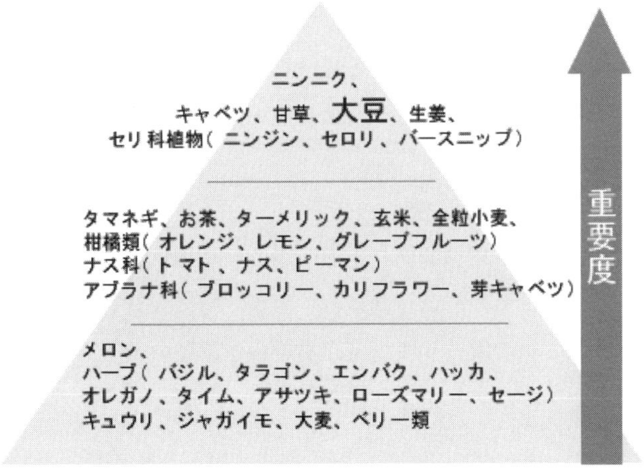

資料：https://www.kokufun.co.jp/designer_foods.html（参照2020-11-27）

2．生活習慣病予防と野菜の効果

生活習慣病とは，かつて我々が中年以降に発症しやすい脳卒中，心臓病，がん，動脈硬化などを「成人病」と呼んでおり，その発症の背景には長期的な生活習慣が深く関与していることが明らかになったことから，1996年に名称が変わったものである。また，身体的リスク因子である高血圧，糖尿病，高脂血症などの疾病の発症や進行の予防には，野菜の摂取が重要であることから，以下では野菜の成分の効果について調べた〔11〕。

(1) 腸内環境改善

食物繊維の生理作用は，排便量の増加，便秘の改善，虚血性心疾患・冠状動脈疾患発症のリスク低下，Ⅱ型糖尿病および十二指腸潰瘍の発症の低減などである。人を対象とした疫学調査でも多数報告されており，にんじん由来食物繊維やいんげん豆，アスパラガス由来フラクトオリゴ糖は，ヒトの腸内の環境改善などの機能に有効である。

(2) 耐糖能異常の予防

耐糖能とは，血糖値を正常に保つ能力のことであり，血糖値が急激に上昇した場合，膵臓からインスリンが分泌され，正常に戻してくれることとなる。しかし，血糖値が上昇し続けるとインスリン分泌量やその効き具合が低下し，その作用不足が起こり糖尿病を発症する危険性がある。その予防には，エンドウ豆やジャガイモなどが，食後の急激な血糖値の上昇やインスリン分泌を抑えるのに有効である。

(3) 脂質代謝改善

血中コレステロール，中性脂肪など血中脂質の増加は，動脈硬化，心臓疾患などのリスク因子である。その予防には，大豆，特に大豆タンパク質などが有効であり，血中コレステロールの低下，血中中性脂肪の低下による脂質代謝改善作用がある。

(4) 血栓予防

脳梗塞や心筋梗塞は，主に血小板の凝集による血栓形成の誘発によって発症するものである。その予防には，にんにく，玉ねぎ，その関与成分としてメチルアリルトリスルフィドなどの含硫化合物など有効であり，抗血栓作用に効果がある。

(5) その他

骨代謝改善作用，ホルモン代謝への作用には，カリフラワー，ブロッコリー，エンドウ類，大豆が有用であることが報告されており，特に，大豆の機能性成分であるイソフラボン類には，女性ホルモンであるエストロゲン様作用があることから，更年期にみられるのぼせの症状などの軽減に有用である。

３．機能性表示野菜の政策と現状

最近，機能性表示野菜が話題となっている。しかし機能性を表示する野菜には，農産物であっても機能性の関与成分やその用量，その作用機序も含めて科学的根拠が求められる。

すでに研究機関や民間種苗会社などでは，品種改良や生産工程での付与などによる野菜，例えば，トマト（リコピン），タマネギ（ケルセチン），ほうれんそう（ルテイン），かいわれ（ビタミンB_{12}）などが開発され，括弧内の成分の含量が従来の野菜より高濃度含まれることから機能性野菜として抗酸化作用や免疫強化などの効果が期待され注目されていた。

2013（平成25）年，食品表示法の施行に先駆け農林水産省では「機能性をもつ農林水産物・食品開発プロジェクト」がスタートし，生鮮食品における機能性表示食品を促進するため，品目ごとに相談窓口が設置された。また，国立研究開発法人 農業・食品産業技術総合研究機構（通称：農研機構）による「機能性食品開発プロジェクト」では，機能性表示制度のガイドラインに沿った農作物として，緑茶（メチル化カテキン），温州みかん（β-クリプトキサンチン），ほうれんそう（ルテイン），大麦（β-グルカン），大豆（β-コングリシニン），りんご（プロシアニジン），トマト（リコピン），魚（DHA/EPA），緑茶（エピガロカテキンガレート）に関する研究成果について機能性評価情報に特化したデータベースを構築し，2020（令和２）年12月から公開している。その機能性表示ができる野菜についてその代表例を表４－１に一部示した〔12〕。

表4－1　機能性表示ができる野菜の代表例

品目	機能性関与成分	機能性表示
緑茶	メチル化カテキン	本品にはメチル化カテキン（エピガロカテキン-3-O-（3-O-メチル）ガレート）が含まれています。メチル化カテキンは，ハウスダストやほこりなどによる目や鼻の不快感を軽減することが報告されています。
ホウレンソウ，カボチャなど	ルテイン	本品にはルテインが含まれています。ルテインは，光による刺激から目を保護するとされる網膜（黄斑部）色素を増加させることが報告されています。
米，野菜，果実，キノコ	GABA（γ-アミノ酪酸）	本品にはGABAが含まれています。GABAには高めの血圧を低下させる機能があることが報告されています。
大豆	大豆イソフラボン	本品には大豆イソフラボンが含まれています。大豆イソフラボンには骨の成分の維持に役立つ機能があることが報告されています。
トマトなど	リコピン（リコペン）	本品にはリコピンが含まれています。リコピンにはLDLコレステロールを低下させる機能があることが報告されています。

資料：農研機構HP：機能性をもつ農林水産物・食品開発プロジェクト
http://www.naro.affrc.go.jp/project/f_foodpro/2016/063236.html

2020（令和２）年12月現在，これら機能性生鮮食品の届出件数は94件であり，そのうち野菜類は18件であった。他の機能性食品と比べるとかなり生産量は少ないのが現状であるが，今後，健康意識の高い消費者にとっては，ますます需要が高まりそうである〔13〕。

第4節　大豆および大豆製品に含まれる機能成分の効用

1．本節の背景と目的

わが国では，大豆を使用した特徴的な調味料，すなわち，味噌，醤油などがあり「和食」料理には欠かせない調味料である。しかし，大豆の食料自給率は，年々低下傾向で推移し，海外からの輸入大豆に頼らざるを得ない状況にある。そこで本節では，大豆生産量の現状，栄養機能および機能性成分について検索した。また，近隣のスーパーなどで購入出来る大豆および大豆製品に含まれる機能性成分である大豆イソフラボン類の含量を分析した。

2．大豆の生産量の現状

日本における大豆は，農林水産省の大豆関連データ集によると，約22万トンの大豆が生産されている。北海道が一番多く（26%），宮城県（8%），佐賀県（8%），福岡県（7%）と続き，この一道三県で国内生産量のほぼ半分を占めている。しかし，国内の需要量は，2017（平成29）年で約357万トンと言われており，その自給率は7%にすぎず，ほとんどが輸入に頼っている〔14〕。大豆は油分が非常に多い食品であることから，輸入大豆は主にサラダ油，大豆油の精油の製造に，国産大豆は主に豆腐，納豆，味噌，醤油などの食品用に使用されている〔15〕。

大豆の原産地は，東アジアとされており，日本で自生している原種は，「ツルマメ」と考えられている。現在，生産されている品種は，北海道「ユキホマレ」，東北から北陸地域「エンレイ」，「タチナガハ」，「リュウホウ」，東海から九州領域「フクユタカ」の5つの品種で国内生産量の約7割以上を占めているのが現状である。また，色調についても，白（黄）大豆，黒大豆，赤大豆，青大豆，茶豆（枝豆）など多品種であり，有名な県産ブランド豆として丹波黒豆（兵庫県），筑前クロダマル（福岡県筑前町），大白大豆（群馬県）などがある。

3．大豆の栄養成分と機能性成分

大豆は「畑の肉」といわれるように，その栄養成分であるたんぱく質（34%）を多く含む食品である。その他，脂質（20%），炭水化物（29%），ビタミンおよびミネラルとバランス良く含んでおり，栄養価も高い食品である。また，フィトケミカル（0.3%）などの機能性成分も含まれていることから，健康・維持増進に期待される食品である〔16〕。

大豆に含まれている機能性成分として，最も多い成分は，食物繊維（含オリゴ糖）であるが，生理作用として便通改善効果も期待されている。特に，オリゴ糖は腸内環境を整える乳酸菌やビフィズス菌の餌となり，腸内細菌の増殖促進作用がある成分である。次に多い成分は，植物ステロール，大豆レシチンである。これらの生理作用は，血中のコレステロールを下げる働きである。また，大豆にはサポニン類が含まれており，苦味・えぐ味として知られているが，苦味以外に抗酸化作用や抗がん作用があることが期待される成分である。その他，ダイゼインなどの大豆イソフラボン類は，エストロゲン（エストラジールなど）という女性ホルモンに類似した化学構造（図４－２）からエストロゲン様作用を有することが報告されており，更年期障害によって生じる症状の緩和，骨粗鬆症の予防，抗酸化作用，抗がん（乳がん，子宮がん，前立腺がん等）作用，免疫促進効果などの効用がある成分である〔17〕。

図４－２　ダイゼイン（A）およびエストラジオール（B）の構造

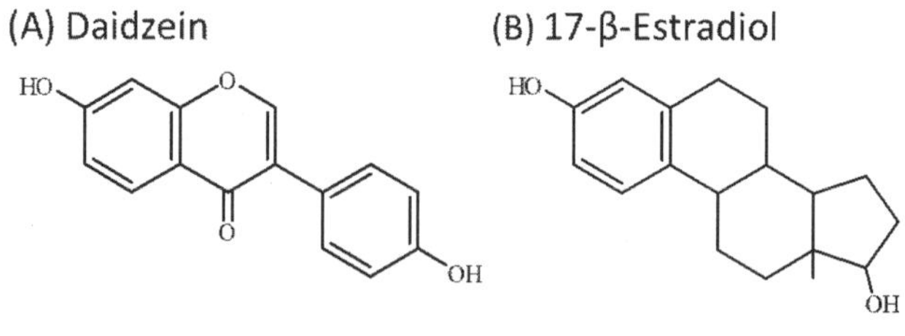

(A) Daidzein

(B) 17-β-Estradiol

4．大豆の成熟過程の違いと加工食品

大豆は，成熟段階に応じて様々な食品がある。未熟のさやを収穫したものは「登熟種子」，すなわち，枝豆であったり，成熟後に収穫したものは「完熟種子」，乾燥大豆であったり，大豆を日の当たらない暗いところで発芽させたものは「発芽種子」，大豆もやしなどである。

一方，加工食品は，大豆を生食できないことから，必ず加熱工程が必要であり，煎る「煎り豆」や「きな粉」，蒸す「蒸し豆」，煮る「煮豆」，煮て搾汁する「豆乳」，豆乳を加工製造する「豆腐」，その後に微生物による発酵により「味噌」「醤油」「納豆」など，多種多様である。

2013（平成25）年，「健康日本21（第二次）」では21世紀における第2次国民健康づくり運動として，その中の「栄養・食生活」の目標で大豆はカルシウムの供給源として位置づけられている〔18〕。

2018（平成30）年度の国民栄養調査では，豆類の1日摂取量は約80gであり，100g以上が望ましいとされている目標値には到達していないことから，我々はもっと大豆や大豆製品の摂取が重要である〔19〕。

5．大豆および大豆製品の機能性成分と生体内動態

大豆に含まれるイソフラボン類は，大きくアグリコン型（非配糖体）である「ダイゼイン（図4－2A）」「ゲニステイン」「グリシテイン」とアグリコンに糖が結合したグリコシド型（配糖体）に分類できる。大豆（植物）に存在するイソフラボン類は，主に配糖体の「ダイジン」「ゲニスチン」「グリシチン」である。また，加工・発酵などの製造工程では，マロニル化，アセチル化，サクシニル化が起こり，数十種類の異性体が存在している。

イソフラボン類の生体内への取り込みは，配糖体のままでは小腸から吸収されず，ほとんど利用不可能である。ただし，腸内細菌叢により糖が分解されアグリコン型になると，吸収効果が高くなる。さらに，配糖体の一部は腸内細菌の酵素により代謝物が生成され，最も有名な代謝物の一つが機能性成分の「エクオール」である。この成分は，エストロゲン様作用を有することにより，抗

がん作用を示し，活性本態の「ダイゼイン」よりも強力であることが報告された〔21〕。ただし，この成分を作れる腸内細菌を持っている人は，日本人の場合，２人に１人といわれている。一方，アグリコン型の一部は小腸上皮細胞から直接吸収され，肝臓に到達すると，肝臓内で一部代謝物へと変換され，それらは体内循環し，最終的に排泄される。

６．大豆製品に含まれるイソフラボン類の分析

大豆および大豆製品に含まれる機能性成分であるイソフラボン類について分析を行った。試料は，黄大豆（乾物；フクユタカ），黒大豆（乾物；筑前クロダマル），きな粉，枝豆（生物），大豆もやし（生物），納豆の６品目である。分析は，それら食品中のイソフラボン含有量を高速液体クロマトグラフィー（HPLC）に付した。図４－３には黄大豆イソフラボン類のHPLCクロマトグラムを示しており，イソフラボン異性体が８種類検出された。アグリコン型（ダイゼイン，ゲニステイン）は大変少なく，ほとんどが配糖体の形態で存在することが明らかとなった。

次に，大豆および大豆製品６品目に含まれる，それぞれのイソフラボン含量を調べたところ，総イソフラボン量は，乾燥重量100ｇ当たり黄大豆258mg，黒大豆390mgおよびきな粉350mgであった。また，新鮮重量100ｇ当たり枝豆85mg，大豆もやし46mg，納豆150mgであった。一般によく用いられる黄大豆の総イソフラボン含量と比較すると，黒大豆やきな粉は，それぞれ黄大豆の1.5倍と1.4倍多いことが明らかとなった（図４－４）。

また，生の大豆製品は，総イソフラボン含量が少ないが，これは食品に含まれる水分量が約60％から90％と食品の半分以上を占めることによるもので，１回で摂取する食品の重量を考えると，大豆（乾物）と同程度のイソフラボン類の量を十分に摂取することが可能である。

図4－3　黄大豆イソフラボン類のHPLCクロマトグラム

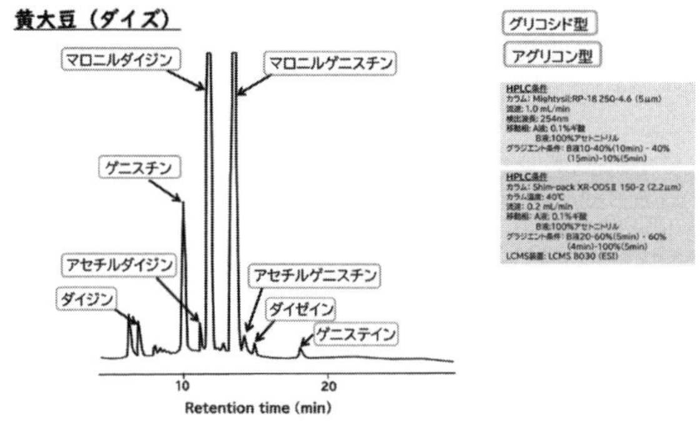

図4－4　大豆および大豆製品のイソフラボン含量

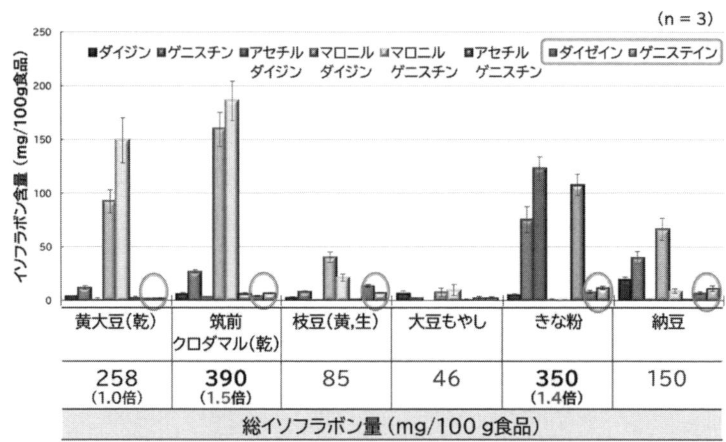

第5節　おわりに

今年は，世界中が新型コロナ感染症（COVID-19）拡大防止の対策を考える中でニューノーマル（新しい生活様式スタイル）について考え直すよい機会となった。WHOは，COVID-19に対する栄養面からの予防戦略を公表し，感染症のリスクを下げるためには免疫系を整えることが重要であり，バランスのとれた食事，「ビタミンやミネラル，食物繊維，たんぱく質，抗酸化物質をとり入れるために，毎日多くの新鮮な未加工食品を食べるべき」と提言した〔22〕。このことにより，これまでの単なる「健康志向」というだけではなく，健康であるための予防，すなわち食事による免疫力を向上させる意識がより一層高まった。

人生100年時代に向かって，健康寿命を延伸するために，わが国では１日あたり，30品目の野菜の摂取，１日350ｇ以上の野菜摂取が望ましいという目標値を設置しているが，野菜の摂取方法を工夫することで，ビタミンやミネラル，食物繊維，抗酸化物質を取り入れることが可能である。また，たんぱく質の供給源としては，動物性食品が多種であるが，その他の栄養成分とのバランスを考えると，植物性食品からたんぱく質を摂取することも大変重要である。今回は植物由来の大豆および大豆製品について，栄養成分や機能性成分であるイソフラボン類について検討した。また，我々は，活性本態の代謝を研究し，活性本態より強い生理作用を有する代謝物を探求し，健康機能の評価系を構築することは大変重要である。これからも，様々な食品の機能性成分のエビデンスをより科学的に解明し，情報提供や機能性食品の重要性を社会により強くアピールする必要があると強く感じた。したがって健康のために数多くの機能性食品とその生理機能を意識し，食品の栄養成分をバランスよく摂取することが重要である。自分の栄養状態や健康状態を理解して，機能性食品も大いに活用して，食品を楽しみながら健康寿命の延伸を図りたいものである。

参考文献

〔1〕厚生労働省HP：「人生100年時代」に向けて
https://www.mhlw.go.jp/stf/seisakunitsuite/bunya/0000207430.html
（参照2020-11-01）
〔2〕食品機能性の科学 編集委員会　編，食品機能性の科学，産業技術サービスセンター，2008年４月.
〔3〕藤巻正生監修：『食品機能－機能性食品創製の基盤』，学会出版センター，1988年

3月.
〔4〕内閣府：第1回特定保健用食品等の在り方に関する専門調査会
資料 2 https://www.cao.go.jp/consumer/history/03/kabusoshiki/ tokuho2/doc/150805_shiryou2.pdf（参照2020-11-27）
〔5〕日本健康・栄養食品協会HP：https://www.jhnfa.org/（参照2020-11-27）
〔6〕栄養機能食品の市場規模およびマーケティング調査https://www.pref.aomori.lg.jp/soshiki/shoko/sozoka/files/theme-report_eiyokino.pdf（参照2020-11-27）
〔7〕消費者庁HP：機能性表示食品についてhttps://www.caa.go.jp/policies/policy/food_labeling/foods_with_function_claims/（参照2020-11-01）
〔8〕https://www.ssnp.co.jp/news/beverage/2019/05/2019-0509-1653-14.html（参照2020-11-27）
〔9〕大澤俊彦，がん予防と食品―デナイナーズフーズからファンクショナルフーズへ―，日本食生活学会誌，20（1），11-16（2009）.
〔10〕https://www.kokufun.co.jp/designer_foods.html（参照2020-11-27）
〔11〕池上幸江，梅垣敬三，篠塚和正，江頭祐嘉合，野菜と野菜成分の疾病予防及び生理機能への関与，栄養学雑誌，61（5），275-28（2003）.
〔12〕農研機構HP：機能性をもつ農林水産物・食品開発プロジェクトhttp://www.naro.affrc.go.jp/project/f_foodpro/2016/063236.html
〔13〕消費者庁HP：機能性表示食品の届出情報検索https://www.caa.go.jp/policies/policy/food_labeling/foods_with_function_claims/search/(参照2020-11-09)
〔14〕農林水産省HP：大豆関連データ(参照2018-02-21) https://www.maff.go.jp/j/seisan/ryutu/daizu/d_data/index.html
〔15〕農林水産省HP： 大豆のホームページ「大豆をめぐる事情」https://www.maff.go.jp/j/seisan/ryutu/daizu/index.html（参照2020-11-26）
〔16〕健康長寿ネットHP：https://www.tyojyu.or.jp/net/kenkou-tyoju/eiyouso/phyto-chemical.html（参照2020-11-26）
〔17〕日本食品機能研究会HP：https://www.jafra.gr.jp/food.html（参照2020-12-12）
〔18〕厚生労働省HP：健康日本21（第二次）https://www.mhlw.go.jp/stf/seisakunitsuite/bunya/kenkou_iryou/kenkou/kenkounippon21.html（参照2020-11-27）
〔19〕厚生労働省HP：平成30年国民健康・栄養調査報告https://www.mhlw.go.jp/stf/seisakunitsuite/bunya/kenkou_iryou/kenkou/eiyou/h30-houkoku_00001.html（参照2020-11-27）
〔20〕佐藤隆一郎，大豆イソフラボン類の新たな生理活性評価研究，大豆たん白質研究，10，93-95（2007）.
〔21〕日本栄養士会HP：https://www.dietitian.or.jp/important/2020/2.html（参照2020-11-01）

第5章　外食産業の中食化に関する考察

―― テイクアウト・フードデリバリー・フードトラックの各サービス ――

浅岡　柚美

第1節　はじめに

2020年1月，日本国内において新型コロナウイルス（COVID-19）の感染が確認されて以来，我々の日常は一変した。本稿がテーマとする全国の外食産業や飲食店は，営業時間の短縮や休業をはじめ，「3密」を避けるために客席を減らしたテーブル配置，テーブル上の仕切り板などの設置，消毒や衛生管理の徹底などが次々に要請され，大きな打撃を受けている。

まず，NHKの特設サイト〔1〕から，新型コロナウイルスに関する現在（2020年12月末日）までの主な経緯を確認する。3月2日から全国すべての小学校，中学校，高等学校などを春休みに入るまで臨時休校とするよう政府から要請がなされ，3月9日の専門家会議は，①換気の悪い密閉空間，②多くの人が密集，③近距離での会話や発話（密接）のいわゆる「3密」を避けるように呼びかけを行った。4月7日に政府は，東京，神奈川，埼玉，千葉，大阪，兵庫，福岡の7都府県を対象として，新型コロナウイルス対策特措法に基づき，5月6日までを宣言の効力として「緊急事態宣言」を発表した。4月16日には「緊急事態宣言」を全国に拡大し，これまでの対象であった7都府県に加えて北海道，茨城県，石川県，岐阜県，愛知県，京都府の6道府県を加えた13都道府県を特に重点的に感染拡大防止の取り組みを進めていく必要があるとして「特定警戒都道府県」と位置づけた。大型連休の前には政府及び各都道府県知事などが「ステイホーム週間」として不要不急の外出や帰省，旅行の自粛を呼びかけ，政府は5月4日に「緊急事態宣言」を5月31日まで延長することにした。

この後，国内の感染者は幾分，減少に転じ5月14日，政府の対策本部は，北海道，東京，神奈川，千葉，埼玉，大阪，兵庫，京都の8都道府県を除き「緊急事態宣言」の解除に踏み切った。5月21日に関西地区で，5月25日には全国で解除され，6月には都道府県をまたぐ移動の自粛要請が全国で緩和された。しかし，一旦，感染者数が減少しても，7月には「第2波」，11月には「第3波」が到来し，12月31日には全国の感染者数は4,520人と過去最多となるなど，我々は感染予防に配慮した生活を続けている。

一般社団法人日本フードサービス協会[1)]（以下，日本フードサービス協会と記す）が公表している2020年9月までのデータからファストフード，ファミリーレストラン，パブレストラン/居酒屋，ディナーレストラン，喫茶，その他の業態を合わせた売上高，店舗数，客数，客単価それぞれについて前年同月との比較を図5－1に示す〔2〕。客単価は前年より微増，店舗数は97%から99%で推移しているものの，売上高と客数は4月には前年の約60%にまで低下した。パブレストラン/居酒屋の業態に関しては，4月，5月の売上高は前年同月比でわずか8.6%，10.0%，客数は10.5%，11.6%と深刻な状況を呈した。

図5－1　2020年の外食産業の概況（前年同月比）

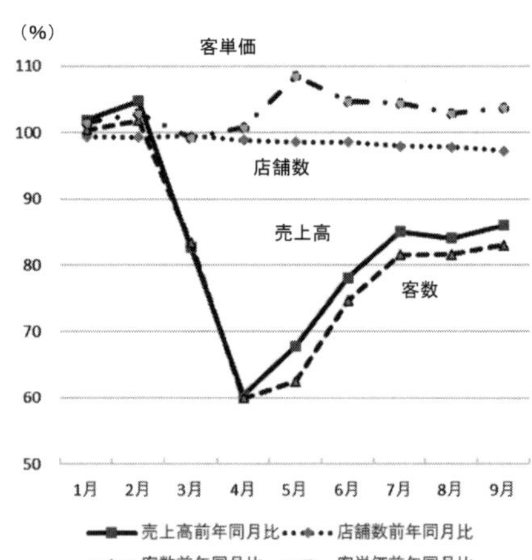

出所：日本フードサービス協会〔2〕

このような状況を受け，政府は4月に2020年度補正予算を，7月に第2次補正予算を成立させ〔3〕，企業向けの持続化給付金，雇用調整助成金の拡充，資金繰り対応の強化，家賃支援給付金や融資制度の創設などの直接的な支援策〔4〕に加えて，「新しい生活様式」の実践〔5〕，「Go To トラベル」〔6〕，「Go To Eat」キャンペーン事業の実施策〔7〕などを講じている。また，地方自治体などが主導した「飲食代を先払いする仕組み」やテイクアウトを実施している店舗を検索しやすくする仕組みの「エール飯」には多くの顧客が賛同し，支援する動きが活発化した。しかしながら，感染者の再拡大は営業自粛につながる懸念もあり，外食産業や飲食店がコロナ以前の状態に戻るには時間を要するのは間違いない。

もっとも，外食産業や飲食店はコロナ禍の影響だけでなく，人口減少に伴う市場縮小の長期的傾向の中，原材料費や人件費の上昇，外食産業，飲食店における競合に加え，コンビニエンスストアや食料品スーパーマーケット，百貨店の食料品売場などによる中食市場の拡大などを受け，厳しい状況に置かれている。第4節において詳述するが，外食率[2)]のピークは，1997年の39.7％であったが，以後，少しずつ減少し2018年には34.0％に低下している。29兆702億円であった外食の市場規模も25兆7,221億円にまで減少している〔8〕。新型コロナウイルスの感染拡大により，突然，顧客を失った外食産業や飲食店の中には，テイクアウト（持ち帰り）やフードデリバリー（出前），フードトラック[3)]などのサービスを開始し，売上を補っているところもある。これらのサービスは，コロナ禍以前から存在したサービスであるが，現在，注目を集めている。

本稿では，これらの各サービスについて，その起源を歴史的に概観することから始め，現状を確認し，サービスマーケティングの視点から検討することを目的とする。これらのサービスにおいては，外食産業や飲食店が提供する多様なサービスの一部，あるいは大半が省かれ，「モノ化」現象が生じている。その結果，「中食」として，新たな価値が付加されたが，この価値と課題について考察を行う。

第2節　テイクアウト・フードデリバリー・フードトラックの各サービス

1．江戸時代の外食・中食文化

テイクアウト，フードデリバリー，フードトラックの各サービスの起源は江戸時代に遡る。原田（2014,〔9〕）は，江戸時代後期に描かれた浮世絵にもとづき，江戸時代の食文化を解説している。

歌川国安（1794～1832）が描いた日本橋の北詰の魚河岸の風景には棒手振り（ぼてふり）と呼ばれる小売商が，ここで仕入れた鯛，伊勢海老，ゆでたタコなどを担ぐ姿が見える。

歌川広重（1797～1858）の「東都名所」には，高輪から品川にかけての海岸に，陰暦正月と7月26日の月光には阿弥陀三尊の姿が現れるとする信仰に集まった多くの人と寿司屋，水売り，いか焼き売り，天ぷら屋，蕎麦屋，団子屋，汁粉屋などの屋台が描かれている。

また，歌川芳艶（1822～1866）は江戸府内の名物を紹介する双六の中に高級料亭，居酒屋，和菓子屋，天ぷら屋など，食の名店を描いた[4)]〔10〕〔11〕。

江戸市中の住人は，商人とそこに住み込む奉公人，諸国から流入してきた農民や職人など，ほとんどが男性であり，彼らの食事を毎日，提供する必要があったことが江戸の外食文化が発展した理由である〔9〕。

次に，大久保（2012,〔12〕）を確認する。

平安時代には，すでに人々が集まるところで食べ物が売られていたというが，外食文化は江戸時代に発展を見せた。当時の庶民の多くは長屋住まいで食べ物を調理する土地を持てなかったため，天ぷら，寿司，蕎麦，鰻の蒲焼をはじめ，おでん，惣菜，納豆，豆腐，魚，あさり，水菓子，団子，餅菓子など多様な食べ物が屋台，棒手振り，煮売り，辻売りなどで販売された。屋台とは，屋根があって物を売る台を備え，一応移動が可能な店のつくりをいうが，車をつけて容易に移動できるようになったのは明治になってからである。大きな桶を天秤棒で担いで販売する方法が棒手振りであり，煮売りでは煮豆などの惣菜が販売されていた。

屋台などは，盛り場や大通り，神社仏閣の祭礼，花見や月見のような遊興など，人々が集まる賑わいの中で発達したが，武家，大商人や町屋の人々に買い食いは，いやしいものと捉えられていたこともあり，多くの繁華な場所で常設化し，次第に店を構えるようになっていく。お酒を提供する蕎麦屋などではメニューも多様化していった。

1657年の明暦の大火事で江戸市中が焼け野原になった後，料理屋の始まりとされる「奈良茶飯」を出す一膳飯屋が浅草に生まれた。奈良を発祥とする茶粥に豆腐汁，煮豆，煮しめを添えたものが提供され，このような茶店はやがて料理屋に発展していった。

寛文期（1661～1673）ごろ，江戸は野菜魚鳥類の売買時期を統制したが，市中では野菜等の栽培ができないため周辺地域は都市部の食料供給地としての機能が要求された。神田青物市場の開場とともに食材が豊富になり調理法も複雑化していった。安永期（1772～1781）には飲食店の評判記が，1778年には，飲食店を紹介する『七十五日』が出版され，蒲焼，寿司，酒，菓子などの名店が挙げられた。このような本の出版は，外食利用者の増加と関心の大きさを示すものである。天明期（1781～1789）以降，墨田川沿いの眺めのよいところで高級料理を出す料亭が誕生し，現在の食文化につながる礎となったという〔12〕。

このように江戸時代において，飲食物は当初，販売者自らが顧客のいる場所に出向いて調理，販売し，顧客がその場で買い食いしたり，持ち帰ったりする形式が取られていた。テイクアウト，フードデリバリー，フードトラックの起源が江戸時代にあるとされる理由である。

2．現代のテイクアウト・フードデリバリー・フードトラックの各サービス

食事は外食，中食，内食に3分類される。2019年10月1日の消費税の引き上げに伴い，「酒類・外食を除く飲食料品」は軽減税率の対象となったが，ここで外食とは，飲食店業等，食事の提供を行う事業者が，テーブル・椅子などの飲食に用いられる設備（飲食設備）がある場所において，飲食料品を飲食させる役務の提供と示された〔13〕。中食とは，この外食と家庭内で手づくり料理

を食べる内食の中間にあって，市販の弁当や惣菜，家庭外で調理・加工された食品を家庭や職場・学校等で，そのまま食べることや，これら食品（日持ちしない食品）の総称として用いられている〔14〕。テイクアウト，フードデリバリー，フードトラックはすべて中食に関連する。

井上（2017）によれば，テイクアウトとは持ち帰りの販売形式であり，店内に客席を持つ店で，その場で飲食するイートイン（店内飲食）と相対する。デリバリーは商品を自宅や事業所などに直接送り届ける宅配ビジネスである〔15〕。朝日新聞はフードトラックを「食品の移動販売車。都内の場合，車内で盛りつけや加熱などの簡易な調理をする「調理営業」と，調理，包装済みの弁当などを売る「販売業」の2種類がある。フードトラックの営業には，食品衛生責任者の講習受講と各地の保健所ごとの営業許可が必要であり，食材の下ごしらえなどの仕込みは，原則，飲食店など保健所が営業許可を出した施設で行う必要がある」と説明している〔16〕。

テイクアウト，デリバリー，フードトラックの各サービスを厨房設備の有無，イートイン設備の有無で分類，整理した（表５－１）。厨房設備に関して「設備あり」は，飲食物を自店（セントラルキッチンなどを含む）で調理していること，「簡易設備あり」は，冷凍食品や調理済食品などを揚げたり温めたりするフライヤー，電子レンジ，スチーマーなどを店内に設置してしていることを示す。イートイン設備では，飲食のためのテーブルや椅子などが設備されていることを「設備あり」，飲食が可能な簡易なテーブルや椅子などのコーナーを設けているところを「コーナーあり」とした。

表5－1　テイクアウト・フードデリバリー・フードトラックの分類

	厨房設備	イートイン設備		
		設備あり	コーナーあり	なし
テイクアウト	設備あり	①寿司屋，鰻屋，焼鳥屋など	—	②惣菜店・漬物店・肉屋・魚屋など
		③ファストフード，カフェ，フードコートなど	④持ち帰りピザ店・持ち帰り寿司店・ベーカリー・弁当店・おにぎり店・たこ焼き屋・お好み焼き屋・百貨店・スーパーマーケット・ドーナツ店・ケーキ店など	
		⑤レストラン・居酒屋など	—	—
	簡易設備あり	—	⑥コンビニエンスストア・スーパーマーケットなど	
	なし	—	⑦スーパーマーケットなど	
フードデリバリー	設備あり	①寿司屋，鰻屋，蕎麦屋など	—	⑧宅配ピザ店・宅配寿司店，宅配弁当店，クラウドキッチン，ゴーストキッチンなど
		③ファストフード，カフェなど	④たこ焼き屋・お好み焼き屋・百貨店・スーパーマーケット・ドーナツ店・ケーキ店など	
		⑤レストラン・居酒屋など	—	
	簡易設備あり	—	⑥コンビニエンスストア・スーパーマーケットなど	
フードトラック	設備あり	—	—	⑨調理営業・販売業
	なし	—	—	⑩販売業

出所：筆者作成。

表5－1を順に説明すると，①は厨房，イートインを設備しており，従来からテイクアウトやデリバリーに対応していた外食産業や飲食店である。寿司屋，鰻屋はテイクアウト，デリバリーの両方に対応する店が多く，焼鳥屋はテイクアウト，蕎麦屋はデリバリーを手掛ける店が多い。

②は，自店で調理した飲食物をテイクアウトで販売する店である。惣菜や漬物などを量り売りする店やコロッケ，豚カツ，ポテトサラダなどを販売する肉屋，刺身や煮つけなどを販売する魚屋などが該当する。

③は，ファストフード，カフェ，フードコートなどに多くみられる。ハンバーガー，フライドチキン，牛丼，ドーナツ，デザート，サイドメニューのほか，コーヒーなどのドリンクなどを提供する。従来からイートインに加え，テイクアウトに対応しており，その普及に寄与したが，最近ではデリバリーサービスにも積極的である。

④は，本来，テイクアウトが主であるが，短時間で飲食するイートインコーナーを設け，利便性を向上させている。一部では，フードデリバリーサービスを始めている。

逆に，⑤は，本来，イートインが主であったが，新型コロナウイルスで外食を十分に提供できなくなった店舗がテイクアウトやデリバリーに新規参入している事例である。ふだん，提供している飲食物のほか，弁当や盛り合わせなど，これまでとは異なるパッケージで販売したり冷凍食品化したりする事例もみられる。本稿では，このカテゴリーの事例を後述する。

⑥では，コンビニエンスストアや食料品スーパーマーケットなどが，フライヤー，電子レンジ，スチーマーなどを利用してフライドチキン，肉まん，おでんなどを調理したり，弁当などを温めたりしてテイクアウトのほか，イートインコーナーで飲食できるようにしている。ここでもデリバリーサービスが始まっている。

⑦は，簡便なイートインコーナーが設けられている厨房設備のない食料品スーパーマーケットなどである。主に，弁当やおにぎり，サンドウィッチなどを提供する。

⑧は，デリバリー専門の宅配ピザ店，宅配寿司店，宅配弁当店などである。最近では，イートインの設備を持たずにデリバリーに特化するクラウドキッチン，ゴーストレストランと呼ばれる形態が出現している〔17〕。

⑨は，厨房設備のあるフードトラックで，調理，あるいは最終工程を加え，

飲食物を提供したり販売したりする形態，⑩は，厨房設備のないフードトラックで調理済の飲食物を販売する形態である。

テイクアウト，フードトラックは，自店が展開するサービスであるが，デリバリーは他社が介在し，サービスが進展し拡大した。次項では，フードデリバリーのモデルを確認する。

3．フードデリバリーサービスの変遷

現在のフードデリバリーサービスの仕組み，いわゆる出前サイトの構築に貢献したのが，夢の街創造委員会株式会社が運営する出前館である〔18〕。王（2020）は，出前館のビジネスモデルの変遷からフードデリバリーサービスを4段階に整理し，各モデルを命名した[5)]〔19〕。本稿では，王（2020）を参考にデリバリーを行う事業主体にもとづき，表5－2に整理した[6)]。まず，①自店完結モデルである。従来から出前をしていた寿司屋，鰻屋，蕎麦屋などのほか，宅配ピザ店や宅配寿司店，宅配弁当店などが該当する。メニューを掲載したチラシなどの紙媒体を用いて，自店がデリバリーに対応していることなどの自店情報とメニュー情報を利用者に知らせていたが，インターネットの普及によりホームページなどの電子媒体を併用して，これらを知らせるようになった。注文は電話やファクシミリ，インターネットサイトで受け付け，飲食物のデリバリーは自店の従業員（アルバイト含む）が行う。なお，現在も大手外食チェーン店には自店完結モデルを採用し，デリバリーが不足する部分を③デリバリー機能提供モデル，あるいは④個人事業主デリバリーモデルにより補完する事例がみられる。

次は，②プラットフォーム提供モデルである。初期の出前館は，加盟する外食事業者と，そのメニュー，2つの情報をサイト（出前館のホームページ）に集めて電話，インターネットで注文を受け付け，注文情報を外食事業者，宅配専門店に提供していた。このモデルにおいて，デリバリーは外食事業者や宅配専門店が担った。なお，このモデルは後に③に移行した。

さらに，出前館は新たなビジネスモデルを構築した。③デリバリー機能提供

モデルであり，出前館の現在のモデルである。②のモデルでは，デリバリー機能を持たない外食事業者は出前館の仕組みに参入できなかったが，デリバリースタッフを出前館が提供することにより，多くの外食事業者の参入を可能にした。デリバリースタッフは出前館がアルバイトなどで雇用するほか，夢の街創造委員会株式会社の配達代行事業と組み合わせ，たとえば，新聞販売店などに委託を行い，新聞販売店の従業員が配達を行う形に発展させている。同社は，これを「シェアリングデリバリー戦略」と名づけている〔18〕。

最後に，④個人事業主デリバリーモデルである。ウーバーイーツなどのように個人事業主がデリバリーを行う。③と同様，デリバリーサイトはプラットフォームを提供し，配達機能を持たない外食事業者のデリバリーを可能にしたが，どの組織にも属さない個人事業主がデリバリーを行う点が③と異なる。

表5－2　フードデリバリーサービスの4段階

	①自店完結モデル	②プラットフォーム提供モデル	③デリバリー機能提供モデル	④個人事業主デリバリーモデル
a）外食事業者情報の提示	自店の情報に限られる。チラシなどの紙媒体，ホームページなどを用いる。	外食事業者，宅配専門店の情報をデリバリーサイトに集約して掲載。		
b）メニュー情報の提示				
c）注文方法	電話，ファクシミリ，インターネット（アプリ含む）。	電話，インターネット（アプリ含む）。	インターネット（アプリ含む）。	
d）決済方法	料理と引き換えに現金，クレジットカード，電子マネーで支払い。	初期段階では料理と引き換えに現金で支払い。後に出前館のサイトでクレジットカード決済が可能になった。	デリバリーサイトでクレジットカード，電子マネーで決済。	
e）デリバリースタッフ	自店の従業員（アルバイト含む）。	自店の従業員（アルバイト含む）。	出前館などが雇用する従業員（アルバイト含む）とシェアリングデリバリー事業者が雇用する従業員（アルバイト含む）。	デリバリーサイトに登録する個人事業主。

出所：王（2020，〔19〕）を参考に筆者作成。

4つのモデルを特徴づけているのは，a）外食産業や飲食店など外食事業者情報の提示，b）メニュー情報の提示，c）注文方法，d）決済方法，e）デリバリースタッフの5点である。

②プラットフォーム提供モデル以降では，外食事業者情報，メニュー情報はひとつのサイトに集約されている。そのため，利用者は配達可能エリア，メニュー内容や料金のほか，デリバリーサービスを利用するために必要となるコスト，特にデリバリー料金と待ち時間を比較して選択することが可能となる。

決済は，料理と引き換え時，あるいは注文時にデリバリーサイトで支払う方法がある。料理と引き換え時であってもクレジットカード，電子マネーで支払い可能な外食事業者が増加している。③以降では，注文が入った際に決済が行われ，デリバリースタッフが金銭に関わる必要がない。

最も特徴的なのがデリバリースタッフである。①自店完結モデル，②プラットフォーム提供モデルでは，外食事業者の従業員（アルバイト含む）がデリバリーするのに対し，③デリバリー機能提供モデルと④個人事業主デリバリーモデルでは，その外食事業者とは無関係なデリバリースタッフに委ねられている。

③，④のように外食事業者がデリバリー機能を持たないことで，特に，チェーン展開をしていない中小の事業者は飲食物の調理に専念することで飲食物，料理の品質を向上させることができるとともに，デリバリースタッフの確保と配置，交通事故対策など，デリバリーに要するコストを減少することが可能となる。デリバリーサイトに支払う手数料については，次節で言及する。

前述のクラウドキッチンに関して，出前館は複数のクラウドキッチンを集めた拠点を東京都内に設けた。フードデリバリー専門業態として事業化が可能なインキュベーションキッチンと位置づけている〔20〕。新しい段階が生じる可能性がある。

4．フードトラックサービス

東京都内では「昼食休憩時に昼食を取ることが難しい」という意味で，このようなオフィスワーカーを「ランチ難民」「昼食難民」と呼んでいる。これらの人々に向けて2003年に株式会社ワークストア・トウキョウドゥが展開する「ネオ屋台村®」により「大手町サンケイビル村」が誕生した〔21〕。以来、フードトラックは年々，増加している。

図５－２に，東京都福祉保健局にもとづき，東京都で営業許可を得た自動車（フードトラック）の数を示した〔22〕。2002年には1,000台に満たなかったが，2018年には3,000台を超えるまでに増加している。近年，フードトラックの営業を支援する企業[7)]も出現した。これらの企業は，フードトラック事業者と提携し，顧客を飽きさせないようにフードトラック事業者をローテーションで出店させ，どの事業者がどこに出店するのかをアプリで検索できるなどの仕組みの構築，出店スペースの確保などを行っている。

株式会社Mellowによれば，フードトラックでは車両450万円，キッチン設備50万円程度で開業が可能であり，これは固定店舗の1/3の初期費用であるという。初期費用，ランニングコストの低減，他のフードトラック事業者やその飲食物との相乗効果により集客が見込めることなどのメリットからスタートアップ事業者のみならず，既存の外食事業者が参入に乗り出す事例も見られる〔23〕。

図５－２　東京都内の営業許可を得た自動車数

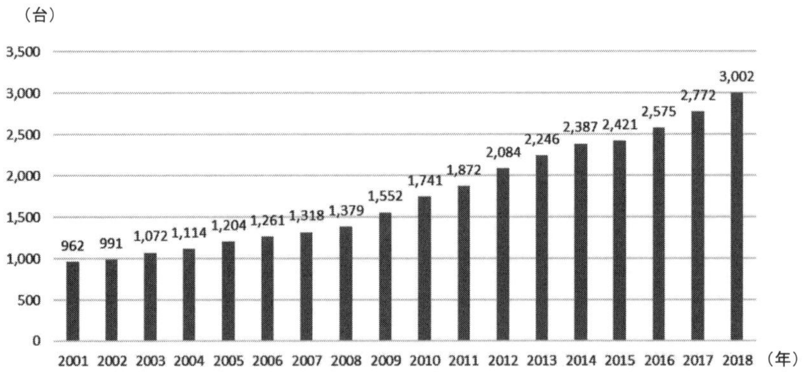

（台）

（年）	2001	2002	2003	2004	2005	2006	2007	2008	2009	2010	2011	2012	2013	2014	2015	2016	2017	2018
台数	962	991	1,072	1,114	1,204	1,261	1,318	1,379	1,552	1,741	1,872	2,084	2,246	2,387	2,421	2,575	2,772	3,002

出所：東京都福祉保健局『食品衛生関係事業報告』〔22〕

第3節　サービスマーケティングの視点からの考察

1．外食産業，飲食店に生じている「モノ化」現象

サービスは「ビジネスとして，顧客に便益，価値，満足を創造し，提供する活動」と定義できる〔24〕。便益は利用目的と言い換えられ，顧客は便益を得るためにサービスを利用する。外食産業や飲食店において，顧客が得ようとする便益，利用目的は飲食物や料理だけではなく多岐にわたる。「会議を行いたい」「ゆっくり過ごしたい」「会話を楽しみたい」「お祝いや感謝，ねぎらいの気持ちを表したい」などがあり，時には，飲食物や料理以外が主目的となる場合もある。つまり，外食産業や飲食店が行う本質的なサービス活動は，顧客が空腹を満たすための単なる「飲食物や料理の提供」というよりは，飲食物や料理が中心に置かれながらも「顧客が飲食する時間と空間の提供」ととらえる必要がある。

力石（1997）は，サービスを①物質的サービス，②技術的サービス，③精神的サービスに分類した〔25〕。外食産業や飲食店でいえば，①物質サービスは，調理された飲食物や料理をはじめ，店舗の内装や外装，家具や調度品，グラスやお皿，カトラリー，装花，照明，BGM，空調などが該当する。②技術的サービスは，厨房では食材の選択や調理，盛り付けの技術，フロアではテーブルセッティング，オーダーの取り方，ドリンク類の注ぎ方，料理や顧客の好みに応じた酒類の選択，お皿の運び方などの接客技術，配膳技術である。③精神的サービスとは，すべての従業員，サービス提供者による顧客に対する思いやりや心遣いである。

外食産業や飲食店は，店舗を構え，飲食の空間を整えて雰囲気を作り出し，メニュー構成を考え，店舗を訪れた顧客に料理人が飲食物を調理し，フロアの従業員が顧客の座席の案内や飲食物の配膳などを行うことによって，顧客に便益や価値，満足を創造し，提供する〔26〕。店舗独自のコンセプトに合わせてデザインした多様なこれらのサービスを，店舗を訪れた顧客に複合的，総合的

に，顧客と同じ時間と空間で提供するのが外食産業や飲食店である。

ところが，テイクアウトやフードデリバリー，フードトラックの各サービスにおいて，顧客に提供するのは，飲食物や料理という物質と調理技術に関するサービスに限られる。店舗における飲食の時間と空間，サービス提供者による接客技術や配膳技術，思いやり，心遣いはほとんど不要となっている。テイクアウトとフードトラックではサービス提供者と顧客の接点はあるものの限定的である。つまり，テイクアウト，フードデリバリー，フードトラックの各サービスにおいては，外食産業や飲食店が提供する多様なサービスの一部，あるいは大半が省かれ，「有形財化，物質化，モノ化」（以下，「モノ化」と記す）現象が生じているといえよう。その結果，「中食」として，新たな価値やメリットが付加された[8)]。

2．「モノ化」現象による価値と課題

この「モノ化」現象は，新たな価値と課題を生じさせている。

まず，「モノ化」により付加された価値について述べよう。飲食物や料理の冷凍食品化，レトルト化，弁当化は，「時間と空間の同時性」というサービスの特性の制約をなくす。賞味期限，保管・保存方法に配慮する必要はあるが，在庫化，流通化を可能にする。これまで，ランチタイム，ディナータイムなど，集中する顧客数に合わせて人員を配置しなければならなかった外食産業，飲食店であるが，顧客の来訪に関わらず，アイドルタイムを利用して調理を行うなど，より効率的な人員や時間の使い方が可能となる。外食産業や飲食店では，座席数以上の顧客を迎え入れることができず，売上を増やすには客席稼働率や客席回転率を考慮しなければならないが，「モノ化」した料理や飲食物は座席数に関係なく，予測した数量を販売することができ，売れ残りが出そうであれば値下げも可能である。また，外食産業や飲食店は，顧客が店舗に訪れる必要があるが，モノ化した飲食物や料理は，顧客が存在するところに届けることができる。

あるカジュアルな人気のフランス料理店を想定し，イートイン，日替わり洋

食弁当のテイクアウト，パンのテイクアウトの売上と人時売上高[9)]を試算してみよう（表5－3）。

イートインの場合，営業時間をランチタイム3時間，ディナータイム4時間とする。アイドルタイムには従業員の休憩やディナータイムの仕込みなどを行う。座席数が20席，人気店でランチタイムは満席状態で3回転，ディナータイムは2.5回転し，平均客単価をランチタイム1,000円，ディナータイム4,000円とすると売上の合計は260,000円となる。この店舗が日替わり洋食弁当のテイクアウトを始めたとする。営業時間は9時間，ランチタイムにもディナータイムにも100個ずつの弁当を販売すると売上は200,000円となる。また，この店舗がパンやサンドウィッチのテイクアウトを始めたとする。弁当とは異なり，パンは1日中，販売することができる。1時間あたり20名程度の顧客が300円のパンを5つ購入すると売上は240,000円となるのである。イートインではテイクアウトよりも多くの人件費，装花，照明や空調などの光熱費などを要する。原材料費の割合が同程度だとすると「時間と空間の同時性」がもたらすコストはイートインが最も大きくなり，人時売上高ではパンのテイクアウト，弁当のテイクアウト，イートインの順に大きいと試算できる。

フランス料理店のように店舗に入ることに料金や堅苦しさなどから，ためらいが生じる場合，弁当などのテイクアウトは外食よりもリーズナブル，気楽に料理を提供することができ，このことがイートインへの来店を促す宣伝となることも期待できよう。

テイクアウトやフードデリバリーには課題もある。すでに飲食店の営業許可を取得している店舗で，弁当などを調理し，テイクアウトやフードデリバリーを行う場合は，新たな許可は不要であるが，弁当や惣菜以外の食品を販売する場合や，営業許可を取得している施設以外で調理したりインターネット販売や別の施設・店舗で販売したりする場合には，新たな許可が必要となる場合もある。また，店内で提供される食品と比べ，調理から飲食までの時間が長くなることから，通常以上の衛生管理に注意しなければならない。あらかじめ，容器に入れられた食品を販売する場合は，アレルゲン，消費期限などの食品表示の

表５－３　イートインとテイクアウトの売上試算

	イートイン	弁当のテイクアウト	パンのテイクアウト
営業時間	７時間 ランチタイム（３時間） 11：00～14：00 ディナータイム（４時間） 18：00～22：00	９時間 11：00～20：00 （閉店時間なし）	８時間 11：00～19：00 （閉店時間なし）
勤務時間	９：00～14：30 （5.5時間） 16：00～22：30 （6.5時間）	９：30～20：30 （11時間）	９：00～20：00 （11時間）
従業員数	５名	４名	４名
座席数	20席 ランチタイム　３回転 ディナータイム　2.5回転	－	－
客数	ランチタイム　60名 ディナータイム　50名	１日　200名	１日　160名
平均客単価	ランチタイム　1,000円 ディナータイム　4,000円	1,000円	1,500円 （300円×５個）
売上	ランチタイム　60,000円 ディナータイム　200,000円 合計　260,000円	200,000円	240,000円
人時売上高	4,333円 （260,000/60）	4,545円 （200,000/44）	5,454円 （240,000/44）

出所：筆者作成。

必要もある〔27〕。テイクアウト用の料理や弁当などの保管には，衛生に配慮した新たな設備投資が必要となる場合もあるだろう。

また，フードデリバリーにおいてウーバーイーツを利用する場合，飲食店は通常，税込み価格に対して35％の手数料を負担しなければならない〔28〕。外食産業や飲食店では，原材料費と人件費のいわゆるFL比率[10]は売上の50％～60％程度を占めている。イートインの顧客が減少したことにより，減少させた配膳の人件費をフードデリバリーの手数料に回している現状である。

また，外食産業や飲食店の従業員，とりわけ料理人の多くは，先述の飲食物や料理を中心とした多様なサービスで顧客を迎え，顧客の喜ぶ姿に接することでモチベーションを得ているのではないだろうか。テイクアウトとフードトラックでは，「おいしかった」「また来るね」などと顧客と短時間でも会話を交わすことができるが，フードデリバリーサイトでは顧客の顔が見えない。事業者側はデリバリーの飲食物や料理にメッセージカードを添え，顧客側はサイトのレビュー欄，コメント欄で料理の評価やコメントで接点を作りコミュニケーションを取る方法しかないのが現状である。

第４節　外食産業の中食市場への参入によるインパクト

日本フードサービス協会から外食率と食の外部化率[11]の推移を確認する（図５－３，〔8〕）。1975年は食の外部化率と外食率がほぼ同じである。つまり，中食（料理品小売業）がほとんどなかったことが示されている。その後，外食率，食の外部化率，いずれも同じように上昇している。第１節で述べたように，外食率のピークは1997年の39.7％，市場規模は29兆702億円であったが，以後，少しずつ減少し2018年には34.0％，市場規模は25兆7,221億円にまで減少している。食の外部化率は1995年あたりから急上昇し，2007年には45.6％のピークを記録している。その後，外食率，食の外部化率，いずれもが多少低下，横ばい状態で推移するが，食の外部化率は外食率に比べ減少幅は大きくない。このことは中食の増加によるものである。

これまでも，たとえば都市ホテルやブランド力のあるレストランが「デパ地下」などで惣菜などを販売したり，飲食物や料理を缶詰，レトルト食品，ミールキットなどにして販売したりしているが，フードデリバリーやフードトラックという新たなサービスが生まれたことにより，これまでにない多くの外食産業や飲食店が中食市場に参入している。中食市場が一層，活性化することは明らかである。

顧客にとって中食の価値は何であろうか。外食に比べると，飲食の時間の短縮，料金もリーズナブルに職場や家庭など好きな場所で飲食ができることに加え，新たな事業者の参入により，中食のバリエーションが増加したこと，職場

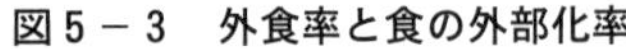
図５－３　外食率と食の外部化率

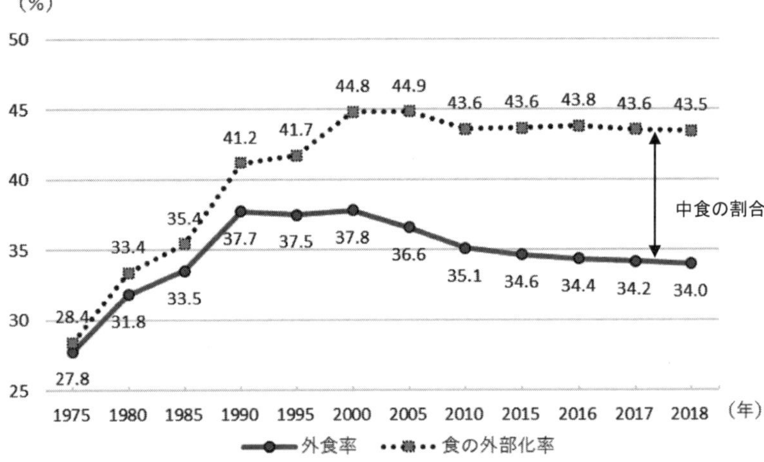

出所： 日本フードサービス協会〔8〕

や自宅の近辺で購入できる価値を感じ始めているのではないだろうか。テイクアウトやフードデリバリー，フードトラックの各サービスの利便性を経験し，これらのサービスの仕組みや利用に慣れた顧客は，食の選択肢として，これらのサービスの支持を続けるだろう。イートイン主体の外食産業や飲食店が，これらのサービスに参入することの課題は先に述べたとおりであるが，今後は，売上の補填を目的にするだけでなく，豊かな食生活に貢献するためにも積極的に取り組む必要があるのではないだろうか。

高齢者，病気療養者，食事制限者，ダイエッター，ベジタリアン，ムスリムなど個別の顧客に対応する飲食物の提供は，大規模な外食産業が全国的に一律的に手掛けるよりも小回りがきく柔軟性をもつ中小規模の外食産業や個々の飲食店に優位に働くかもしれない。高齢者が多いエリア，医療施設の近隣のエリア，ムスリムが多いエリア，コンビニエンスストアなどが近隣にないエリアなど，顧客に近いところで営業している飲食店であるからこそ，顧客のニーズに対応した飲食物や料理の提供が，提供時間や提供方法を含めて可能になるのではないだろうか。

第5節　おわりに

飲食店は比較的，少ない資本で創業が可能である。営業すれば，日々，キャッシュを得ることが可能であり，料理人がオーナーである場合，オーナーやオーナー家族以外は正社員ではなくアルバイトを雇用している場合も多い。将来を構想する相談相手は十分ではないが，顧客が訪れてさえすれば事業戦略をそれほど練る必要がない。

本稿では，テイクアウト，フードデリバリー，フードトラックの各サービスにおいて「モノ化」現象が生じていること，その結果，「中食」として，新たな価値が付加されたことを述べた。いまだ，コロナ禍の厳しい最中にあり，先にも述べたが，売上の補填，拡大に向けた対応策とすることに加えて，豊かな食生活に貢献するためにも，これらのサービスをイートインに組み込み，常時，経営の安定化を図ることが必要であると考える。

コストを削減するために，フードデリバリーではクラウドキッチンやゴーストキッチン，また，フードトラックサービスという新しい形態がみられたが，イートイン形態においてもシェアキッチンが散見されている。店舗の貸主の理解が必要であるが，夜に営業する居酒屋などが昼間，営業する飲食店と店舗をシェアしたり，店休日に他の飲食店に貸したりすることで，家賃の負担を軽減しようとしている。

博報堂ブランディングコンサルタント（2008）は，サービスの提供スタイル（店舗が存在するか，存在しないか）と顧客との関係（何らかの契約にもとづくものか，契約にもとづかず，その都度サービスと対価の交換が行われるものか）という視点でサービスを分類したが，これによると従来型の外食産業や飲食店は「店舗×非契約」型に分類される〔29〕。

非契約ではあるが，これまで外食産業や飲食店と常連客の間には「互いに必要とし合う関係性」，心理的契約ともいえる関係が構築，維持されていた。コロナ禍にあって顧客は「なじみの店」の継続を切望している。実際の店舗はコミュニティとしての役割も大きい。特に，テイクアウトやフードデリバリーでは対応が難しい，職場などの仲間とのリアルなコミュニケーションの時間と空間をどのように作っていくか，大きな課題となっている。人間関係を育み維持する場としての飲食店が不可欠である。そのためにも，飲食店が安心・安全な場として機能するとともに，経営を安定化する対応策が必要であると考える。

【参考・引用文献　各サイト】

（サイトは特に記しているもの以外は2020年11月30日に確認）

〔1〕NHK　特設サイト　新型コロナウイルス時系列ニュース　https://www3.nhk.or.jp/news/special/coronavirus/chronology/（2020年12月31日確認）

〔2〕一般社団法人日本フードサービス協会　JF外食産業市場動向調査 http://www.jfnet.or.jp/data/data_c.html

〔3〕財務省　令和２年度予算　https://www.mof.go.jp/budget/budger_workflow/budget/fy2020/fy2020.html

〔4〕内閣府　経済財政政策　https://www5.cao.go.jp/keizai-shimon/kaigi/minutes/2020/index.html

〔5〕厚生労働省　新しい生活様式の実践 https://www.mhlw.go.jp/stf/seisakunitsuite/bunya/0000121431_newlifestyle.html

〔6〕観光庁　Go To トラベル関連情報　https://www.mlit.go.jp/kankocho/page01_000637.html

〔7〕農林水産省　Go To Eat キャンペーン事業　https://www.maff.go.jp/j/shokusan/gaisyoku/hoseigoto.html

〔8〕一般社団法人日本フードサービス協会　外食率と食の外部化率 http://www.jfnet.or.jp/data/data_c.html

〔9〕原田信男（2014）『江戸の食文化　和食の発展とその背景』小学館.

〔10〕国立国会図書館　錦絵でたのしむ江戸の名所 https://www.ndl.go.jp/landmarks/artists/

〔11〕小田原市　小田原デジタルアーカイブ https://www.ndl.go.jp/landmarks/artists/

〔12〕大久保洋子（2012）『江戸の食空間』講談社学術文庫.

〔13〕国税庁『よくわかる　消費税　軽減税率制度』 https://www.nta.go.jp/taxes/shiraberu/zeimokubetsu/shohi/keigenzeiritsu/pdf/0018006-112.pdf

〔14〕農林水産省　食料消費の動向　中食の利用動向　https://www.maff.go.jp/j/wpaper/w_maff/h26/h26_h/trend/part1/chap1/c1_3_01.html

〔15〕井上恵次『フードサービス用語辞典』柴田書店.
〔16〕朝日新聞デジタル『第二の人生，フードトラックで　開業資金安く，台数倍増』2019年３月18日.
〔17〕日経産業新聞『食事宅配大競争，ウーバー・出前館をスタートアップ追う』2020年８月17日
https://www.nikkei.com/article/DGXMZO62679860U0A810C2X11000/
〔18〕夢の街創造委員会株式会社　https://corporate.demae-can.com/
〔19〕王鵬程（2020）「日本におけるフードデリバリーサービスの現状と意義」『中村学園大学大学院　流通科学研究科　令和元年度修士論文集』37-101.
〔20〕夢の街創造委員会株式会社　ニュースリリース
https://corporate.demae-can.com/pr/news/demaekan/post_653.html
〔21〕株式会社ワークストア・トウキョウドゥ　ネオ屋台村®
https://www.w-tokyodo.com/neostall/
〔22〕東京都福祉保健局『食品衛生関係事業報告』 https://www.fukushihoken.metro.tokyo.lg.jp/shokuhin/foods_archives/publications/foodDygiene/index.html
〔23〕株式会社Mellow　https://www.mellow.jp/
〔24〕浅岡柚美（2015）『サービスのデザインと分析』セドナ株式会社.
〔25〕力石寛夫（1997）『ホスピタリティ　サービスの原点』商業界，pp.41-43.
〔26〕浅岡柚美（2015）「アジアビジネスに関する研究　外食産業のアジア展開におけるオペレーション・マネジメント－サービスの特性やマーケティング・ミックスからの考察－」『流通科学研究』Vol. 14, No.2, pp.1-6.
〔27〕福岡県　飲食店でテイクアウトや宅配を始める方へ
https://www.pref.fukuoka.lg.jp/uploaded/life/524390_60245029_misc.pdf
〔28〕東洋経済オンライン　ウーバーイーツ日本代表が語る「急成長」の裏側（2020年11月10日）https://toyokeizai.net/articles/-/366363
〔29〕博報堂ブランドコンサルティング（2008）『サービスブランディング　「おもてなし」を仕組みに変える』ダイヤモンド社，pp.66-68.

注

1）日本フードサービス協会は，日本の外食産業の発展と，豊かな食文化の創造に貢献するべく，農林水産省の認可を受け，1974年に設立された。加盟企業は正会員，賛助会員を合わせると800社を数える。
2）外食率とは，全国の食料・飲料支出額に占める外食の市場規模の割合を示す。
3）キッチントラックと呼ぶところもあるが，本稿ではフードトラックと統一する。
4）歌川国安，歌川広重の生年，没年は，国立国会図書館（https://www.ndl.go.jp/landmarks/artists/）〔10〕を，歌川芳艶は小田原市（https://www.ndl.go.jp/landmarks/artists/）〔11〕を参照した。
5）王（2020）は，①自店完結型モデル，②プラットフォーム化型モデル，③デリバリー機能一部外注型モデル，④デリバリー機能完全外注型モデルとしたが，本稿では，デリバリーを行う立場から改めて分類し直し，①自己完結モデル，②プラットフォーム提供モデル，③デリバリー機能提供モデル，④個人事業主デリバリーモデル，とした。
6）フードデリバリーは，新規参入が多くエリアを限定する事業者も多いが，現在，確認できる事業者は，③デリバリー機能提供モデル，④個人事業主デリバリーモデルである。
7）株式会社ワークストア・トウキョウドゥのほか，株式会社Mellowなど。
8）外食産業や飲食店で見られる「モノ化」現象は小売業では衣料品，服飾雑貨，化粧品などを中心にすでに始まっている。小売店舗を減少させ，消費者に直接，商品を販売する自社のネット通販へ注力する動きが加速化している。ここでは，商品の品揃え，店舗の雰囲気やディスプレイ，販売員の顧客対応というサービスが省かれている。
9）人時売上高とは，売上高を総労働時間で除したもの。従業員が1時間働くと，どれだけの売上をあげることができるかを表す。
10）FL比率とは，Food（食材費）とLabor（人件費）の合計を売上で除したもの。
11）食の外部化率とは，全国の食料・飲料支出額に占める外食と中食（料理品小売業）を合計した市場規模の割合を示したものである。

第6章　コロナ禍による卸売流通への影響と対応

― 中国の卸売市場の事例を中心に ―

徐　涛

第1節　はじめに

2020年1月以降，新型コロナウイルスによる感染症が世界的に広がり，同年末が近づく11月末現在でも第三波といわれる感染拡大が各国を襲っている。そのような中，コロナ禍による現代社会へのダメージが未曾有と言っていいほどの甚大なものとなっている。中国では，現在までに最初のコロナウイルスの感染拡大が確認された武漢市と，その後2020年6月初旬にコロナウイルス感染の再拡大が確認された北京市においては，何れも集団感染の場所は，農水産物流通の現場の市場である。本文はそうした背景の下，なぜ，中国では農水産物が取引される市場で大規模な集団感染が発生したのか，感染発生後の対策やその効果，および集団感染が市場自体や各方面にもたらす影響，コロナウイルスの第三波に直面している日本にとっては，どのような教訓があるのかなどについて，特に農産物流通という視点から考察することを研究目的としている。

なお，研究方法としては，現地への移動や実地調査が困難なため，北京新発地農産物卸売市場（これ以降，新発地市場と略す）で起きたコロナウイルス感染の事例を中心に，現在公表されている中国の政府機関の発表や新聞報道記事，専門家の指摘を基に文献調査・分析を行う。

本章の構成としては，本節に続き，第2節では，北京新発地農産物卸売市場の概要を紹介した上で，中国の農産物流通における市場の種類や仕組みを紹介する。第3節では，新発地市場で発生した集団感染の前後における現地の状況を振り返ってみる。第4節では，集団感染発生後の変化や対策及びその効果について確認する。最後のまとめでは，今回の集団感染により，今後注目すべき問題点，新発地市場や中国全土にある農産物卸売市場や流通システムに与える種々の影響を展望しようと考えている。

第２節　新発地市場と中国の農産物卸売市場について

新発地市場は北京市豊台区に位置しており，1988年５月に地元の新発村[1)]により創立された民間企業であった。当初は敷地１ヘクタール，管理スタッフ15名，運転資金15万元の，金網の塀に囲まれた小型の自由市場（露天市場）であったが，32年間の増設と発展を経て，現在すでに中国国内のみならず，アジアでも最大の取引規模を持つ農産物専門卸売市場となっており，世界的に同類の市場においても高い知名度と影響力を持つようになっている〔1〕〔2〕。新発地市場は2020年現在，敷地面積約1,680ムー（約112ヘクタール）を擁しており，管理職員は約1,500名となっている。場内には野菜，果物をはじめ，食肉，食糧・食用油，水産，調味料など十種類の農水産物が卸売取引される農産物卸売市場となっている。場内の固定販売ブースが約2,000箇所，約4,000社以上の指定取引先がある。一日の平均取扱高は，野菜18,000トン，果物類20,000トン，豚3,000頭，羊1,500匹，牛150頭，水産品1,500トンとなっている。2019年市場の総括的な取扱高は1,749万トンで，取引総額は1,319億元（2019年12月31日現在の為替レートで，約2.06兆円）である。そのうち，農産物の供給量においては，北京市の80％以上を占めている。中国全土の4,600余りの農産物卸売市場のうち，新発地市場は取扱高と取引総額では17年連続して全国１位になっており，名実ともに北京市の台所となっている〔2〕。

なお，中国における農産物卸売市場の状況については，全国城市農貿中心連合会が発表した報告書によれば，中国の農産物市場は改革・開放キャンペーンに伴い，発展してきたという。現在全国には44,000万軒あり，そのうち，卸売市場は約4,100軒あり，年間取引金額が１億人民元（2020年７月31日現在の為替レートで，約15.14億円）を超える卸売市場は約1,300軒余りある。その他，農貿市場，菜市場や集貿市場[2)]は約4万軒ある。2019年の卸売市場における取引総額は5.7兆元（2019年12月31日現在の為替レートで，約88.92兆円），取扱高は9.7万トンに達しており，市場内の各種販売業者は240万社近くあり，700万人の従事者がいる。現在中国では，約70%の農産物が卸売市場経由で販売されており，農産物卸売市場は依然として，生鮮農産物流通における重要な流通段階とメインチャネルであるという〔3〕。

さらに，筆者は，中村学園大学流通科学研究所の2018年度共同研究調査において，訪れた中国上海市最大の野菜農産物卸売市場の江橋卸売市場を事例に考察したが，農産物卸売市場の取引の仕組みに関する詳細は下記の通りである。

中国における都市部の消費地農産物卸売市場内の取引に関しては，ほぼどこでも同じような取引方式が採用されており，大きく分けると，以下の2種類の取引方式がある。

①車載方式の取引（写真6－1を参照）

商品を積んだ農産物卸売商人の大型トラックが，市場ゲートで必要な産地証明書などの書類を提出した後，地面に設置されている大型秤で貨物の重量を測り，入場する。市場内では，「取引エリア」と「駐車エリア」がある。大型トラックが「取引エリア」に入り，商品購入に来ている仕入業者と相対取引を行う。この間，仕入業者の車両は「取引エリア」に入れない。売買双方の取引が終われば，場内のサービススタッフによって，専用の車両で商品が「駐車エリア」までに運び出される。車載方式の場合，市場は売り手に，取引金額に基づいて規定料率の取引管理手数料を請求する。すなわち，市場は取引価格収集と分析を行う専門チームを構成しており，毎日市場内の売買価格のデータを収集する。集められたデータが分析され，異なる品種の農産物の平均取引価格が算出され，それを翌日の平均決済価格とする。その平均決済価格と入場時の貨物の重量で取引金額を算出し，規定料率の取引管理手数料を計算する仕組みになっている。

②固定販売ブース取引（写真6－2を参照）

「取引エリア」に常設の販売ブースを借り，取引する固定販売業者もいる。

写真６－１　江橋市場の車載方式の取引で入場するトラック

出所：筆者撮影　2018年８月22日

写真６－２　江橋市場内の固定販売ブース

出所：同写真１

手数料は冷蔵庫などの設備の使用料や広さなどによって異なるため，毎月の賃貸料金はそれぞれに異なる〔4〕。

なお，筆者がこれまで中国で実施した実地調査では，下記のような問題点も指摘できると思われる。上述したように，中国の農産物卸売市場の数量や業者数及び就労人口のいずれも大きく，それに取引に関しては，全体のほぼ9割以上が業者同士による相対取引であるため，一堂に多数の業者が同時に市場内において取引業務に従事することが一般的である。他方，日本における中央卸売市場や地方卸売市場において事前に登録・承認された業者のみが入場及び取引が認められているのと異なり，中国では生産者や出荷業者などの販売側に対しては一部の大型卸売市場で登録入場制度が設けられているが，いまだに仲卸売業者などの購入側にはほとんど入場制限がなく，購入業者が自由に市場を出入りしているのが実態である。さらに，中国の卸売市場には様々な業者がおり，卸売販売を行う傍ら，同時に一般消費者向けに小売を営んでいる業者も少なくない。そのため，これまでほとんどと言っていいほど，中国の農産物卸売市場には，市場周辺に居住している市民などの一般消費者も生鮮食料品の購入のために日常的に訪れている。したがって，中国の農産物卸売市場は都市部において，多種多様な農水産物のみならず，様々な人々や車両が行き交う集散地である。なお，市場内の店舗や販売ブースで生体である動物や生鮮青果物の加工処理など従事する業者が多いため，生ごみや廃棄物が多く，これらによる細菌やウイルスの発生や伝染のリスクが高く，市場内における保健衛生や消毒・防疫対策が疎かになる場合，新型コロナウイルスのような集団感染が起こりやすいと思われる。

第3節　新発地市場の集団感染について

この節では，2020年6月中旬に新発地市場周辺で発生した新型コロナウイルスの集団感染の状況について，振り返って詳細を見てみよう。

中国疾病予防コントロールセンターの報告書によると，北京市は，6月11日に北京市西城区において，直近の2週間に北京市を出ることなく，外部者との濃厚接触履歴もない，確定された患者が現れ，北京市における56日間のローカルの感染者なしの状態を終えた。その後，６月11日から23日までの間，報告された北京市の累計確定患者は256人に上っている。なお，今回の感染は北京以外の５つの省まで拡大したとされる。同センターがまとめた詳細状況によると，６月11日の感染確認後，専門機関は最初の２名の症例に対する疫学調査の結果，迅速に新発地市場の牛羊肉総合交易ホールがハイリスク・スポットであると突き止めた。６月12日からは北京市と各区の疾病予防管理センターが北京市全域において，農産物卸売市場，大型スーパーなどの場所を精査し，海鮮物，肉類などの食品及び環境サンプル5,424件を採取・検査したところ，新発地市場から40件の陽性環境サンプルを発見したが，それ以外の農産物卸売市場やスーパーのサンプルはすべて陰性であった。さらに市場の従事者1,940名に対するPCR検査において，新発地市場で採取した517件のサンプルから45件の咽頭拭い液の陽性結果が判明された。その他，海淀区の農産物市場でも１名の陽性者が発見されたが，後に新発地市場の確定患者の濃厚接触者であると確認された。６月23日までに報告された確定患者の中で，新発地市場のクラスター感染と明確な関連がある症例は253件で，６月11日から23日までの間の北京市における累計確定感染患者の98.8％を占めていることが分かった〔5〕。

一方，北京豊台区の発表によると，同区は，まず６月12日には環境サンプルで陽性反応が出た新発地市場牛羊肉総合交易ホールを閉鎖し，建物にいる関係者に対してPCR検査を始めた。さらに，13日には新発地市場全体について閉鎖措置を取り，市場内の全関係者を市内の各隔離観察拠点に移送し，集中隔離措置を取ったという。それらと同時に，新発地市場周辺の12箇所の住宅団地を閉鎖し，22箇所のPCR検査所を設け，４万人以上の住民全員を対象にPCR検査を実施した〔6〕。次に北京市の指導の下，10万人のソーシャルワーカーを動員して，自宅訪問などの地道な調査を行い，５月30日以降新発地市場に行ったことのある人や市場の販売スタッフと濃厚接触歴のある人を探し出し，これらの人々の行動履歴を追跡するとともに，全員を対象にPCR検査を実施した。北京市は市内の実験室の検査能力を拡充し，7,000人のスタッフをシフト制で出勤させ，2,000箇所のサンプル採取拠点をフル稼働させた〔5〕。市の医療機関や他の区及び全国の12の省から20のPCR検査チームの支援を得て，最終的には豊台区全体で累計225万人（回）のPCR検査を終え，区における全域検査を遂げたという〔6〕。

また，新発地市場については，市は専門家の指導の下，標準・安全・順次という原則に従って，早急に場内の清掃・消毒を施した。場内の重点区域にある貨物を危険廃棄物として統一的に無害化処理し，消毒・処分をした。なお，詳細な消毒計画を立て，市場内を消毒，整理，再消毒，再清掃という流れで清掃し，６つの専門消毒チームを調達し，場内の全車両をも徹底的に消毒をした。室外環境に関しても，毎日２回常時消毒を行い，累計1,492万平米の面積を消毒し，７月４日に全市場の消毒を終え，最終テストに合格したという〔5〕。

第４節　集団感染発生後の対策と効果

北京日報の報道によると，2020年８月15日新発地市場の南区が先に市場閉鎖から解除され，９月６日には市場北区も再開し，市場全体の再開を果たした〔7〕。新発地市場常務副総経理（副社長）の顧兆学氏によると，再開後，市場は販売品目によって，改めてエリアの区分けを実施し，今後は野菜・果物を主とし，その他の農産物は補足とする供給体制としていくという。また，今後，市場は厳格な入場資格制度を運用し，卸売と小売を分離させていく措置を取るとのことである。なお，市場内の管理においてもさらに細分化し，生ものと調理済みの惣菜，および干し物の商品と湿った商品の分離販売を図るとともに，それぞれに果物ゾーンの販売ブースは赤いテントを，野菜ゾーンの販売ブースは青いテントを使用し，色分けて統一して管理を行うとしている。さらに市場は，場内の職種や役割が異なる場内の業務従事者にも，それぞれに色分けしたベストを常時着用することをルール化した。今後，卸売商人は赤色，仕入業者は黄色，市場スタッフは青色，場外へ商品を運搬する車輛のドライバーは緑色というように，着用されているベストの色で迅速に身分確認ができるように，管理効率を高めることにしている〔8〕。顧氏によると，会社は今回の市場再開以降，それぞれに出荷販売側の業者を登録制にし，仕入購入側の業者を会員制にした上で，市場に出入りする車両についても予約制にする方法をもって，市場に入る人，モノ，車が追跡できるようにしたという。具体的には，青果物の供給業者と購入業者はともに携帯により事前登録する必要がある。登録のプロセスがシンプルであり，スマートフォンで操作すれば簡単にできるとのことである。一部の大規模業者にはすでに事前に研修会を実施したという。業者らは登録後，入場ゲートに入る際，情報の照合，体温検査，顔認証を行うと，その場で名前や検温情報などがはっきりと示される。このように，市場はビッグデータやAIなどを利用した管理を用いて，商品，車両及び利用者はどこからきているかを精確に把握することができるようになるとされている。なお，同氏の紹介によると，現在，新発地市場には常駐する市場監督管理所と公衆衛生検問所が設置されている。第三者の専門業者を市場に導入し，政府の市場監督管理部門の指導の下，食品安全管理，市場管理，顧客管理，基本文書管理などについて標準化管理をしてもらっているという。一方，公共衛生検問所では，市の疾病管理部門の指導の下，市場環境の消毒殺菌，販売ブースの消毒，貨物の検査検測及び各種人員の体温検査など，第三者の専門会社に業務を依頼することにより，今後新発地市場が常時に疫病管理において絶対的な安全性を確保しようとしているとも説明した〔7〕。それに，市場の全面回復に伴い，新発地市場は市場内のすべての地下及び半地下の約1万平米の取引場を閉鎖したと同時に，5万平米近くの臨時的な建物を取り壊してできた露天のスペースを青果物の卸売場に変えたという。他方，市場周辺のコミュニティ住民の買物の便宜を図るために，市場外に新発地便民菜市場を開設し，小売を行うとしている。1期目の建設では，青果物，食糧・油，調味料などの商品用に22の販売ブース，計1,035平米を設置しており，第2期建設では，豚肉，牛肉，羊肉，鶏肉などの商品用に16の販売ブース，計560平米を設置する計画となっていると，顧氏は説明する〔8〕。従来の市場から卸売と小売業務を分離させても，周辺住民への対応を続けると，具体的な対策を紹介した。記事によると，集計データによれば，新発地市場が全面再開した2日目の9月7日には，入場車両2,200台を突破し，取引された農産物は3万トンに上ったという。9月25日現在の状況を見ても，今回の市場感染拡大以前の状況と比べて，復帰する業者の数は平常時の80%以上になっており，取引数量と取引金額の両方が順調に回復し，10月の国慶節までには感染拡大以前の状況に戻れると予測されている〔8〕。

第5節　まとめ

2020年11月中旬ごろに，筆者はテレビで，大きな衝撃をもってニュース映像を見た。その映像では，「新型コロナウイルスには感染しません。私が食べて見せます」と話し，漁業大臣をつとめたスリランカの国会議員が手に持っていた生のような魚にかじりついたのである。これは，スリランカでは先月，魚の卸売市場でクラスターが発生し，新型コロナウイルス感染者が数千人出て，魚の売り上げが激減したため，漁師たちや市場関係者は魚が売れず，漁にもなかなか出られずに，経済的に困窮していると説明し，同議員が自ら魚を食べ，水産物の消費を促そうというアピールだそうである〔9〕。また，直近では，特に気になる日本国内の卸売市場に関する感染拡大のニュースがある。東京豊洲市場において11月20日に新たに従業員ら30人の新型コロナウイルス感染が確認され，11月25日現在，豊洲市場ではこれまでに累計140人の感染者が確認された。そのうち100人超は水産仲卸売業者であった。豊洲市場では対策を急いでいるという〔10〕。このように，今回のコロナ禍により，農産物卸売市場の集団感染や市場閉鎖は，中国にとどまらず，未だに世界的に各国の農林水産物の流通及びその周辺産業に甚大な影響をもたらしている。

上記の状況から，総じて言えることは，農産物卸売市場は，とりわけ，東アジア・東南アジアを含めたアジア地域では，今日でも圧倒的に労働集約的な産業だということである。それに，多くの国においても，なお不可欠な社会インフラである上，主要な流通チャネルでもあり，電子商取引などに代替されにくいと思われる。しかし，多くの農林水産物，運搬車両，従業員及び関係者が高頻度かつ高密度で市場において各種の業務活動を行っており，新型コロナウイルスの感染にはハイリスクな場であると，客観的に認めざるを得ないと思われる。

一方，本章でこれまで述べてきた中国の事例を中心とした状況から，以下の点において，今後農産物の卸売流通或いは卸売市場自身にとっても十分な検討が必要であると考えられる。なお，農産物卸売市場にとっては，コロナ禍を契機に，積極的な施策や対策を施せば，新型コロナウイルスのような感染症などのリスクには有効になる可能性が大きい上，今後において，市場自身の商品品質の確保，取引環境の改善や産業構造の改造やレベル・アップにもつながるチャンスとなりうると思われる。

①市場施設と改造について

現地調査を実施してきた筆者の感想として，1970年代後半の改革・開放以降に発展してきた中国の農産物卸売市場は，北京や上海などの超大型都市において，取引規模の大きな発展を遂げてきたことは，間違いない事実であるが，多くの卸売市場の建物や設備などが衛生的で良い環境であるとは言い難く，卸売市場に関する現代的な建設に関わる基本的なビジョンを再考し，強化する必要があると言えよう。新発地市場同様に，中国の農産物卸売市場の多くはその歴史を辿れば，自発的に発展してきた経歴があり，市場の建物を例にすると，露天の市場から屋根のある密閉式な建物に変わった歴史がある。かくして，新発地市場でさえも，公衆衛生上，クリーンな市場を如何に建設するかについて，熟慮されたプランやビジョンがなかったため，今度の集団感染を招く不備が露呈してしまった。しかし，今回新発地市場の対策の一部を見ると，簡易的な建物を取り壊し，露天の取引スペースに戻したとの措置は，基本的なビジョンの欠落が招いたものといえる。皮肉にも露店から屋根のある建物への変化への逆行であり，場当たり的な措置とも言えよう。今後こうした卸売市場の将来の発展を見据えた市場の設計やビジョンが期待される。

②市場の管理について

報道によると，今般の感染拡大を受け，新発地市場の社長（現会長の息子）が責任を取る形で交代された。しかし，筆者の調査では，新発地市場の創設者の張玉璽会長と重役のメンバーのほとんどは新発地村の元農家の出身である。しかし，現代的な農産物卸売市場はマネジメントに精通する専門人材が不可欠であり，現場管理には最新なテクノロジーやシステムを応用可能な経営管理者が必要である。中国の卸売市場では，経営者や中間管理層において，このような人材が不足しているように感じられる。新発地市場再開後の一部対応案を見れば，ビッグデータやAIなどの技術や第三者専門業者などを導入する方法は恣意的な管理を避けられる，市場マネジメントの標準化に向けた大きな一歩ではないかと思われる。

③公益的な市場への転換について

現在，中国では，日本の「卸売市場法」のような専門的かつ体系的に農産物卸売市場を対象とする法律がまだ制定されていない。中国農業省は2004年に「農産物卸売市場の建設と管理ガイド（試用版）」（農市発〔2004〕10号）第五条の中で明確に農産物卸売市場の性格を「農産物卸売市場は公共事業であり，農業，農民と農村部と都市部の消費者にサービスを提供することが目的である。その設立及び業務項目は各レベルの政府によって企画・決定され，そのサポートを提供される。」と定義されている。しかし，実際に実行された政策は，「投資するものが利益を受け取る」というものである〔4〕。したがって，新発地市場のような全国最大級の市場でも民間企業である上，株式会社として投資者のために最大限に利益を上げなければならない。こうした公共事業のための公益的な市場の建設と利益の最大化との矛盾とも受け取れる現実が，今後の市場における運営や建設及び投資などにどのような影響が出るのかについて，引き続き注目が必要である。全国最大の新発地市場の動向が全国的に波及される効果があるものだと思われる。

④市場のスマート化とデジタル化[3)]の動向について

2015年以降，中国ではスマート農産物卸売市場の建設という呼びかけが多く見られるようになっている。さらに新発地市場の感染拡大を受け，市場におけるスマート化とデジタル化の流れが一気に加速する可能性が出てくると思われる〔11〕。全国城市農貿中心連合会会長，世界卸売市場連合会主席である馬増俊氏の話によると，コロナ禍以降，中国の農産物卸売市場ではデジタル・マネジメントへのグレードアップ運動が展開され，情報化レベルが向上しつつあり，DX（デジタル・トランスフォーメーション）での様々な実践が行われているという。トレーサビリティ・システム，決済システム，人員の追跡など，こうしたあらゆるものの情報化がグレードアップと改造が必要であり，すでに多くの市場ではこのような部分の計画と実施を取り組んでいると同氏が説明した〔8〕。また，元中国商務省次官の房愛卿氏も「インターネット，IoT，ブロックチェーン，ビッグデータ，クラウドコンピューティング，AIなどのツールを十分に掌握したことを踏まえ，デジタル化を通じて，農産物流通における人員，貨物，場所，車両などの要素と，生産，卸売，小売の各段階をつないだら，企業の創新を促進し，効率向上の最終目的が達成できる」と指摘した〔8〕。

なお，近年アリババグループの「盒馬鮮生」のような企業は，オンラインとオフラインの融合により，新たな小売流通チャネルの確立へと動き出し，急速な拡大を遂げている。こうした企業の動向からみれば，上記の卸売市場の運営のスマート化やデジタル化により，農産物卸売市場における商品の規格化や標準化も促進され，危惧されているように電子商取引に完全に代替をされることなく，新しい小売流通業態との連携活動がさらにスムーズに行えるだろうと考えられる。

引用・参考文献とホームページ

〔1〕 徐涛 「調査報告 6　北京市卸売市場実態調査報告」『中村学園大学流通科学研究所報』No.5　2011 年 1 月　pp69-70 の一部内容を引用した。

〔2〕 北京新発地農産物卸売市場 HP における会社紹介により一部内容を引用した。http://www.xinfadi.com.cn/company/cintros/cintro.shtml（アクセス日 2020 年 11 月 16 日）

〔3〕 全国城市農貿中心連合会「疫情之下农产品批发市场转型升级发展报告」2020 年 8 月 3 日 https://weibo.com/ttarticle/p/show?id =2309404533850284883972#_loginLayer_1606543573924 の一部内容を引用した。（アクセス日 2020 年 10 月 3 日）

〔4〕 徐涛「調査報告 5　消費地市場の卸売市場の発展と課題 - 上海市江橋市場を事例に」『中村学園大学流通科学研究所報』No.13　2019 年 2 月　pp77-78 の一部内容を要約・引用した。

〔5〕 中国疾病予防コントロールセンターの「新型コロナ肺炎疫情専報」(2020 年 6 月 24 日) http://www.chinacdc.cn/yw_9324/202006/P020200626557038667020.pdf の一部内容を要約・引用した。（アクセス日 2020 年 11 月 21 日）

〔6〕 刘婧 蒋若静 李泽伟「新发地市场疫情是如何处置的？北京权威披露全过程细节！」https://www.sohu.com/a/409290339_162522　の一部内容を要約・引用した。（アクセス日 2020 年 10 月 14 日）

〔7〕 「全面复市后，北京新发地市场有这些新变化！」北京日報（2020 年 9 月 8 日）https://mp.weixin.qq.com/s/4KNwInth0eD8oqxcU29GWA の一部内容を引用した。（アクセス日 2020 年 11 月 21 日）

〔8〕 王小萱　周岩「疫情倒逼农批经营跨上新台阶从大流通走向数字化」『中国食品報』(2020 年 09 月 25 日 01 版）の一部内容を要約・引用した。

〔9〕 スリランカ前漁業相が会見で - ニュース｜MY J:COM テレビ https://news.myjcom.jp/sp/video/story/4129962.html　の一部内容を要約・引用した。（アクセス日 2020 年 11 月 18 日）

〔10〕 「豊洲市場でコロナ感染 140 人, なぜクラスター認めないのか」週刊ポスト 2020 年 12 月 11 日号　https://www.news-postseven.com/archives/20201126_1615787.html の一部内容を引用した。（アクセス日 2020 年 11 月 27 日）

〔11〕 赵平凡「大时代降临，我国为何要发展“智慧农批”」2016-07-12 20:05 齐鲁晚报 http://inews.ifeng.com/49341403_1/news.shtml?&back&back（アクセス日 2020 年 12 月 16 日）の内容を参考にした。

注

1）中国の農村部にある基本的な住民自治組織であり，自然村と行政村がある。自然村は家族や姓氏などの原因で自然的に形成された村であるが，行政村は「中華人民共和国村民委員会組織法」により構成された村民自治組織である。本稿で取り上げた新発地市場は新発地村により設立された村営会社であり，現会長の張玉璽氏は新発地村共産党支部書記（実質の村民委員会のトップ）も兼任している。

2）ここでいう農貿市場，菜市場や集貿市場は，いずれも中国では最終消費者を対象とした農産物の在来小売市場のことを指す。

3）農産物卸売市場のスマート化とデジタル化については，まだ明確な定義などはないが，引用・参考文献とホームページ〔11〕の資料によれば，2015年1月北京で開催された「第6回アジア太平洋卸売市場大会」で「スマート農産物卸売市場は農産物卸売市場の未来である。」と提唱されていたという。それ以降，全国城市農貿中心連合会会長の馬増俊氏らが積極的に中国でのスマート農産物卸売市場の建設を呼び掛けた。同資料によると，「スマート農産物卸売市場はインターネットの利便性を利用するだけではなく，農産物卸売市場の管理におけるデジタル化とマネジメント・ソフトの高効率な運営，それに市場内部管理のグレードアップや商品の標準化や等級化を実現すべきであり，ハードウェアとソフトウェアの高度化やオンラインとオフラインの統合こそが，真の意味のスマート農産物卸売市場を実現する方法である」とも述べられている。同じく農産物卸売市場のデジタル化は，そうしたスマート農産物卸売市場の建設に必要なデータに基づく情報化を取り入れた市場マネジメントだと思われる。詳細は，引用・参考文献とホームページ〔11〕の資料を参考されたい。

第7章　ソリューション・マーケティングを考える

片山　富弘

第1節　はじめに

マーケティングは時代とともに変化してきている。筆者が『差異としてのマーケティング』の中で論じたように，マーケティングの定義，マーケティング戦略，ドメイン，顧客満足，マーケットセグメンテーション，マーケティング・ミックス，商品コンセプト等変化し，進化してきているのである。これらのことが意味しているのは，マーケティングが開かれた社会や人間行動を対象とした学問である限り，収束に向かうというより，むしろ，拡大している傾向にある。例えば，インターネットやSNSの登場により，インターネット・マーケティングに代表されるように社会における技術イノベーションに伴ってマーケティングは新たな時代に突入してきている。しかし，その場合でも，マーケティングの基礎概念である重要な顧客満足などの概念やマーケティング・ミックスのような手法は変化しながら，存在しているのである。その本質は，顧客や企業の抱える問題解決に応えることである。これがソリューション・マーケティングである。昨今，企業における部門名にも，○○ソリューション部といった，対象顧客が抱える問題解決を志向する部門名が増えてきているのは，企業が提供している商品やサービスだけではなく，企業の抱える問題解決につながる商品やサービスを結果において提供するカスタマイズ志向が求められてきている。

本論文は，マーケティングの変遷やマーケティング・コンセプトの変化にみるソリューション・マーケティングの位置づけ，ソリューション・マーケティングの提示，ソリューション・マーケティングの背景にあるプラグマティズムとの思想のかかわりについて論じ，事例として株式会社ボーダレス・ジャパンを取り上げる。

第2節　マーケティングの変遷

ここでは，マーケティング1.0から4.0へマーケティングの変遷について，比較とコンセプトの変化について述べる[1)]。

1．マーケティング1.0，2.0，3.0，4.0の比較

マーケティングの変化を示すのに，コトラー等の提示しているマーケティング1.0，2.0，3.0の比較表に今回の4.0の内容について，筆者の追加を行ったのが，表7－1である。

表7－1　マーケティング1.0，2.0，3.0，4.0の比較

	マーケティング1.0	マーケティング2.0	マーケティング3.0	マーケティング4.0
	製品中心のマーケティング	消費者志向のマーケティング	価値主導のマーケティング	ソーシャル・メディア主導のマーケティング
目的	製品を販売すること	消費者を満足させ，つなぎとめること	世界をよりよい場所にすること	世界とつながることで自己実現
可能にした力	産業革命	情報技術	ニューウエーブの技術	ソーシャル・メディア
市場に対する企業の見方	物質的ニーズを持つマス購買者	マインドとハートを持つより洗練された消費者	マインドとハートと精神を持つ全人的存在	自己実現の欲求を満たす全人的存在
主なマーケティング・コンセプト	製品開発	差別化	価値	顧客エンゲージメント

企業のマーケティング・ガイドライン	製品の説明	企業と製品のポジショニング	企業のミッション，ビジョン，価値	企業のドメイン，パーパス
価値提案	機能的価値	機能的・感情的価値	機能的・感情的・精神的価値	機能的・感情的・精神的価値
消費者との交流	1対多数の取引	1対1の関係	多数対多数の協働	多数対多数の協働

出所：フィリップ・コトラー他著，恩蔵直人監訳『コトラーのマーケティング3.0〜ソーシャル・メデイア時代の新法則〜』朝日新聞出版，2010年，19頁に筆者加筆。

マーケティング4.0は，ソーシャル・メディア主導のマーケティングであり，その目的は世界とつながることで自己実現である。主なマーケティング・コンセプトは，顧客エンゲージメントであると考える。FacebookやTwitterやLineなどのソーシャル・メディアによる顧客同士のつながりや企業と顧客とのつながりや絆を従来よりもさらに深めることで，信頼を構築していくことにあるからである。また，企業のマーケティング・ガイドラインは，マーケティング3.0と同様に企業のミッション，ビジョン，価値に近いのであるが，企業のドメインやパーパス（Purpose）を重視することが大切であると考えた。顧客との絆を深めるのに企業の立ち位置であるドメインやパーパスが明確である必要からである。

2．マーケティング・コンセプトの変化

マーケティング・コンセプトの変化についても，マーケティング3.0の提示されたものに，筆者なりの考えを追加したものが，表7－2である。

マーケティング3.0が書かれたのが2010年で，10年間を振り返って，マーケティング分野に疎かだった投資効率を用いたマーケティングによる価値主導として，2000年代をファイナンス主導とネーミングしている。マーケティング4.0が登場するに当たり，世界情勢不安定な状況を鑑み，また，過去の時代のネーミングからみて，不安定を選択するのが良いと判断した。2010年代のコン

表７－２　マーケティング・コンセプトの変化

戦後	右肩上がり	混乱	不確実	ワンツウワン	ファイナンス主導	不安定
1950年代	1960年代	1970年代	1980年代	1990年代	2000年代	2010年代
マーケティング・ミックス	4P	ターゲッティング	マーケティング戦争	エモーショナル・マーケティング	ROIマーケティング	顧客エンゲージメント
製品ライフサイクル	マーケティング・マイオピア	ポジショニング	グローバル・マーケティング	経験価値マーケティング	ブランド資産価値マーケティング	エコロジカル・マーケティング
ブランドイメージ	ライフスタイル・マーケティング	戦略的マーケティング	ローカル・マーケティング	インターネット・マーケティング	顧客資産価値マーケティング	サービス・ドミナント・ロジック
セグメンテーション	マーケティング概念の拡大	サービス・マーケティング	メガ・マーケティング	スポンサーシップ・マーケティング	社会的責任マーケティング	ソリューション・マーケティング
マーケティングの概念		ソーシャル・マーケティング	ダイレクト・マーケティング	マーケティング倫理	消費者のエンパワーメント	地域ブランド
マーケティング監査		ソサエタル・マーケティング	顧客リレーションシップ・マーケティング		ソーシャル・メディア・マーケティング	カスタマージャーニー
		マクロ・マーケティング	インターナル・マーケティング		部族主義	コンテンツ・マーケティング
					オーセンティック・マーケティング	
					共創マーケティング	

出所：同上，52頁に筆者加筆。

セプトについては，マーケティング4.0によく記載されているキーワードと私が重要と考えるマーケティング分野のキーワードを取り上げた。マーケティング4.0によく記載されているキーワードとして，顧客エンゲージメント，カスタマージャーニー，コンテンツ・マーケティングである。私が重要と考えるマーケティング分野のキーワードは，ソリューション・マーケティング，エコロジカル・マーケティング，地域ブランド，サービス・ドミナント・ロジックである。ここでは，個々の詳細な説明は省略する。

第３節　ソリューション・マーケティングの提示

ここでは，ソリューション・マーケティングの定義や範囲，マネジリアル・マーケティングとの比較について論じる。

1．ソリューション・マーケティングの定義や範囲

消費者，企業，地域のいずれもが満足するようにマーケティングの原理や手法を用いて，問題解決するマーケティングを「ソリューション・マーケティング」と呼ぶことにする[2)]。図７－１にソリューション・マーケティングの構図を提示している。これは，ソリューション・マーケティングについて企業レベルでみた場合に，企業とターゲットである消費者や社会との関係を示している。ここでの社会は，地域社会や地球規模までの範囲を意味している。

図７－１　ソリューション・マーケティングの構図

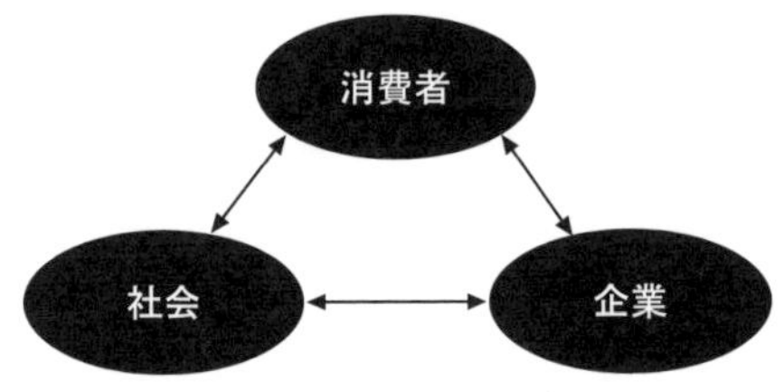

出所：筆者作成。

次に，ソリューション・マーケティング（SM）の範囲・レベルは，表7－3のように製品レベルを対象としたソリューション・マーケティング1.0から地球レベルを対象としたソリューション・マーケティング5.0までの範囲が考えられる。この表は，問題解決のレベルに応じたソリューション・マーケティングのスタイルを提示している。ここに取り上げている問題解決に向けてマーケティング・スタイル等は範囲・レベルに応じて固定しているものではなく，問題解決に応じて各種マーケティングが展開されるものであると考えている。

表7－3　ソリューション・マーケティング（SM）の範囲・レベル

	範囲・レベル	問題解決に向けたマーケティングのスタイル
S M1.0	製品レベル	消費者の問題解決の追究＝製品コンセプト等
S M2.0	企業レベル	企業の問題解決の追究＝マネジリアル・マーケティング等
S M3.0	地域レベル	地域の問題解決の追究＝地域ブランド，ルーラル・マーケティング，アーバン・マーケティング等
S M4.0	社会レベル	社会の問題解決の追究＝ソーシャル・マーケティング，ソサエタル・マーケティング等
S M5.0	地球レベル	地球の問題解決の追究＝エコロジカル・マーケティング等

出所：筆者作成。

2．パラダイム・シフト（Paradigm-Shift）

ここでは，パラダイムの定義や条件を確認し，ソリューション・マーケティングがパラダイム・シフトに該当するかを検討する。

トマス・クーン（Thomas Kuhn）の『科学革命の構造』によるパラダイムの定義は，「ある時代の科学的ないとなみのベースになり，模型になるような基盤の理論のこと」である[3)]。ひとつの基盤理論が科学的な発想そのものを一定期間ずっと支配しており，それが根本から変動するときがあって，いっきに新しい見方が受け入れられることを科学革命と呼んだ。パラダイムには2つの条件がある。1）条件1：その業績が対立し，競合する他の科学研究活動を放棄してでも，それを支持しようとするほど熱心なグループを集めるくらい前例なくユニークなものであること。２）条件２：もうひとつは，その業績を中心として編成された研究グループに，解決すべきあらゆる種類の問題を提示できること。以上の条件からソリューション・マーケティングを検討すると，１）条件１は，マネジリアル・マーケティングをベースにしているので今までと変わらないと考えられる。また，２）条件２は，マネジリアル・マーケティングの対象範囲が製品・商品や企業のみならず，社会レベルにまで拡大されたことを考慮すると，条件２も当てはまらないことになる。従って，ソリューション・マーケティングは，マネジリアル・マーケティングとのパラダイム・シフトではないと考えられる。

3．マネジリアル・マーケティングとの比較

マネジリアル・マーケティングとソリューション・マーケティングとの比較は次のとおりである。

表７－４　マネジリアル・マーケティングとソリューション・マーケティングとの比較

項目	マネジリアル・マーケティング	ソリューション・マーケティング
基本概念	適合（フィット）	問題解決（ソリューション）
行動目的	需要創造と拡大	顧客満足の追究
タイム	一時的短期的	短期と長期
マーケティング手段	マーケティング・ミックス	マーケティング・ミックス
成果形態	市場シェア	キャッシュフロー

出所：和田充夫『関係性マーケティングの構図』有斐閣よりをもとに追加修正。

この図表は，マネジリアル・マーケティングの基本概念はターゲットに対してマーケティング・ミックスの適合であり，その行動目的は需要創造と拡大でその成果は市場シェアの獲得・維持・増大にある。それに対して，ソリューション・マーケティングの基本概念は顧客の問題解決であり，その行動目標は顧客満足の追究でその成果は財務としてのキャッシュフローの増大である。この２つのタイプのマーケティング・スタイルは相反するものではなく，マネジリア

ル・マーケティングが進化したものがソリューション・マーケティングと捉えるのが理解しやすい。マーケティングは常に進化しているので，時代・状況に応じてのソリューション・マーケティングが顧客のニーズにマッチしていると考える。これは，マネジリアル・マーケティングが脱皮したスタイルとして，これも，マーケティング・セグメンテーション[4)]の１つとみてとれる。また，マネジリアル・マーケティングが消滅したことを意味するのではなく，ソリューション・マーケティングと併存していると捉える。

4．ソリューション満足のマーケティング

嶋口充輝は顧客満足型マーケティングの構図の中で，ソリューション満足に向けて，買い手と売り手の解決策の既知と未知の収束としてのソリューション満足を提示されている。つまり，買い手の解決策の既知と売り手の解決策の既知によるものである。そして，ソリューション満足のマーケティング類型として，行動重視型，提案型，奉仕型，ワークショップ型の４つのマーケティング・スタイルを提示している[5)]。

5．ホーリスティック・マーケティング（Holistic・Marketing）との差異

ソリューション・マーケティングが範囲・レベルによって，多くのマーケティング・スタイルを活用するのであれば，類似したホーリステック・マーケティングとの違いは何かを探ることにする。

まず，ホーリスティック・マーケティングについて，コトラー＆ケラー（Philip Kotler & Kevin Lane Keller）は，ホーリスティック・マーケティングのコンセプトは，マーケティング・プログラム，プロセス，及び活動の開発，設計，及び実施に基づいており，その幅と相互依存性を認識している。とした上で，ホーリスティック・マーケティングは，リレーションシップ・マーケティング，インターナル・マーケティング，統合型マーケティング，パフォーマンス・マーケティングの４つのマーケティング・スタイルとしている[6)]。その図７－２がホーリスティック・マーケティングの構成である。

図7－2　ホーリスティック・マーケティングの構成

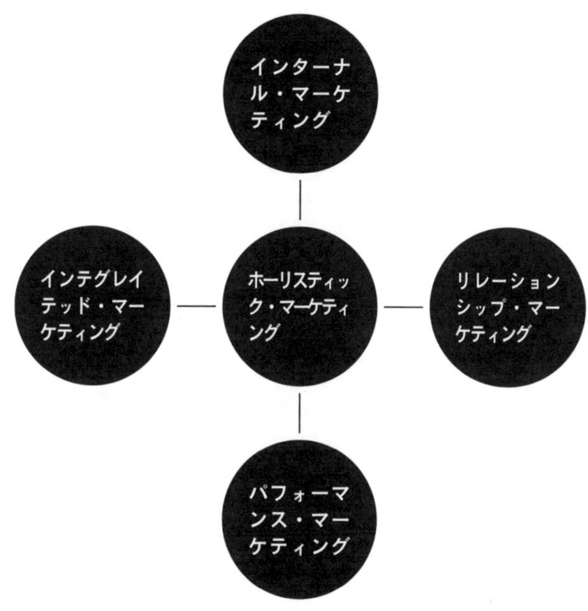

出所：Philip Kotler, Kevin Lane Keller, *Marketing Management* (*14e*), Pearson Education, 2012, 41p.

また，嶋口充輝は，ホーリスティック・マーケティングの概念を組織が顧客を中心に長期的，全社的な観点からマーケティング活動を有機的，統合的に展開していくプロセスないし考え方としている。また，統合型マーケティングとの違いとして，従来の主張がほとんど企業の戦略要素の統合を目指し，企業サイドの内的な最適化や効率化を目指すものであるのに対し，顧客を組み込んだ包括的なWin-Win型価値創造を志向している点であるとしている[7)]。

次に，たいぞうのビジネスの教科書のHP[8)]によると，マーケティングに関わるすべての関係性を包括的に理解して活動を実行することであるとしている。関係者と長期的な関係を保つ，みんなでWin-Winの関係を築く，マーケティング活動全体を連携させる，と説明している。そして，ホーリスティック・マーケティングを図7－3のように提示している。ホーリスティック・マーケティングは，リレーションシップ・マーケティング，インターナル・マーケティング，統合型マーケティング，社会的責任マーケティングの４つのマーケティング・スタイルを有している。

図７－３　たいぞうのホーリスティック・マーケティング

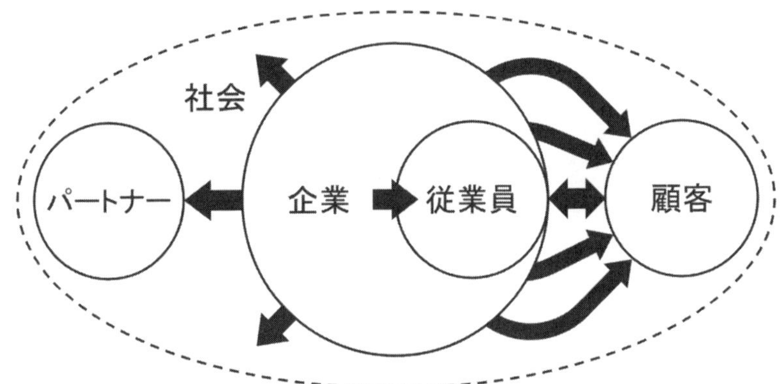

出所：たいぞうのビジネスの教科書のHPより。

ホーリスティック・マーケティングは，４つのマーケティング・スタイルを有しているがゆえに，１つだけのマーケティングで完結することではなく，ステークホルダーとしての影響や関係するところにもマーケティングが存在しているということである。これは，４つのマーケティング・スタイルが同時に併存していることから空間的差異[9)]であるといえる。ソリューション・マーケティングとの差異は，顧客価値創造や問題解決という目的は同じでも，ソリューション・マーケティングはこれといった固定したマーケティング・スタイルがはじめから存在するのではなく，問題解決に応じたマーケティングの手法が用いられることから，認識的差異があるといえる。

第4節　ソリューション・マーケティングの思想背景

マーケティングはアメリカで，1901年頃に生まれた用語とされている[10)]。マーケティングを考えるのに，その頃のアメリカでの思想背景を考慮すると，プラグマティズムが考えられる。

1．プラグマティズム（Pragmatism）

そこで，小川仁志の哲学用語事典によると[11)]，プラグマティズムとは，ギリシャ語で行為や実践を意味する「プラグマ」に由来する用語で，アメリカで発展した思想である。実用主義と訳されるが，主な著書は3人おり，内容も段階を経て変化してきている。最初にプラグマティズムを唱えたのはC・S・パース（Charles Sanders Peirce）で概念を明確にするための方法として，この用語を用いた。要は科学的実験の方法を概念の分析に用いることで，概念の意味はそこから引き出される効果によって確定されると主張した。また，このプラグマティズムを発展させたのが，ウイリアム・ジェームズ（William James）で，人生や宗教，世界観といった心理の問題に適用した。真理というのは，私たちの生活にとって有用な働きをするのかどうかといった視点，つまり，有用性を基準として考えられなければならないと主張した。そして，ジョン・デューイ（John Dewey）は私たちの日常を豊かにすることを哲学の目的に知恵，思想や知識などというものは，それ自体に目的や価値があるのではなく，人間が環境に対応していくための手段となり，知識は人間の行動に役立つ道具として捉えられ，「道具主義」と呼ばれる。

マーケティングは，実践的な学問であることから，知識で終わるのではなく，実際に役立つものであったが故に，ここまで広く社会に根付いてきている。ジョン・デューイの考えを用いれば，正にマーケティングは，企業経営者やスタッフに役立つ有用な道具として用いられていることになる。つまり，マーケティングの知識そのものに価値があるのではなく，その知識が，顧客ニーズへの対応や問題解決に役立っていることに意味がある。

ジョン・デューイ等の考えは，マーケティングに通じる。問題解決には，個人的な問題から企業レベルや国家レベルに至るまで様々なレベルがあるが，マネジリアル・マーケティングは企業経営者における問題解決をする思想である。そのために手段としてのマーケティング・ミックスがある。マーケティングは問題解決を通じて，顧客満足を追求するといえる。前述の表7－3に照らしてみると，商品開発を通じて，ターゲット顧客の問題解決を図ることは，ソリューション・マーケティング1.0に該当する。また，企業レベルの問題解決はマネジリアル・マーケティングであり，ソリューション・マーケティング2.0である。地域の問題解決のためには，地域ブランドやルーラル・マーケティングなどが考えられ，ソリューション・マーケティング3.0といえる。さらに，社会的課題解決も，ソーシャル・マーケティングであるといえるし，ソリューション・マーケティング4.0でもある。地球の問題解決には，エコロジカル・マーケティングなどソリューション・マーケティング5.0に該当する。ソリューション・マーケティング1.0でも，ソリューション・マーケティング5.0とかかわりがないわけではなく，エコ商品開発がなされた場合は，ソリューション・マーケティング1.0から5.0にまで関連していることになる。

2．差延

ジャック・デリダ（Jacques Derrida）は声から音声のようにオリジナルとコピーが差異を含みながら変化することを差延としている[12)]。差延は差異の延長である。このことから，マネジリアル・マーケティングが顧客ニーズや顧客の問題解決に向けて変化することが，ソリューション・マーケティングであるといえる。逆に，ソリューション・マーケティングはマネジリアル・マーケティングが出来上がっていなければ，概念や手法として登場してきていないともいえる。これは，時間的差異であると捉えられる[13)]。

第5節　ソリューション・マーケティングの事例

ソーシャルビジネスを展開している株式会社ボーダレス・ジャパンの事例[14)]をホームページよりみてみる。定款前文に次の内容が示されている。これは，企業のコンセプトであり，ビジョンともいえるものである。

「社会の不条理や欠陥から生じる，貧困，差別・偏見，環境問題などの社会問題。

それらの諸問題を解決する事業「ソーシャルビジネス」を通じて，より良い社会を築いていくことが株式会社ボーダレス・ジャパンの存在意義であり使命です。」

また，株式会社ボーダレス・ジャパンは，社会起業家が集い，そのノウハウ，資金，関係資産をお互いに共有し，さまざまな社会ソリューションを世界中に広げていくことで，より大きな社会インパクトを共創する「社会起業家の共同体」です。ここに集う社会起業家は，利他の精神に基づいたオープンでフラットな相互扶助コミュニティの一員として，国境・人種・宗教を超えて助け合い，良い社会づくりを実現していきます。

1）すべての事業は，貧困，差別・偏見，環境問題など社会問題の解決を目的とします。

2）継続的な社会インパクトを実現するため，経済的に持続可能なソーシャルビジネスを創出します。

3）事業により生まれた利益は，働く環境と福利厚生の充実，そして新たなソーシャルビジネスの創出に再投資します。

4）株主は，出資額を上回る一切の配当を受けません。

5）経営者の報酬は，一番給与の低い社員の7倍以内とします。

6）エコロジーファースト。すべての経済活動において，自然環境への配慮を最優先にします。

7）社員とその家族，地域社会を幸せにする「いい会社」をつくります。

8）社会の模範企業となることで，いい事業を営むいい会社を増やし「いい社会」をつくります。

2007年に創立され，現在，54億円の2019年売上高，従業員数1,335名（役員含む，2020年1月1日時点で），国内10と海外9つのオフィスを有している。売上高は2007年の0.2億円から2019年の54億円まで右肩上がりである。現在，国内外の35のソーシャルビジネスを展開している。

この会社のソーシャルビジネスのスタイルは，次のとおりである。

社会起業家たちがお互いに支え合う「相互扶助システム」

多くの社会問題をどのように解決するのか。

私たちの答えは社会起業家たちのプラットフォームを創ることでした。

グループ各社は独立経営を維持しつつも，立ち上げ当初に必要な資金・ノウハウ全てをシェアできる相互扶助のプラットフォームがあれば，成功の可能性を飛躍的に高められます。そして，経営が軌道に乗り余剰利益を生み出せた時は，新たな社会起業家へ投資する。社会起業家を成功に導き，さらに成功した起業家が次の起業家に恩を繋いでいく。そんな「恩送り経営」がボーダレスの本質です。

図7－4　社会起業家のしくみ

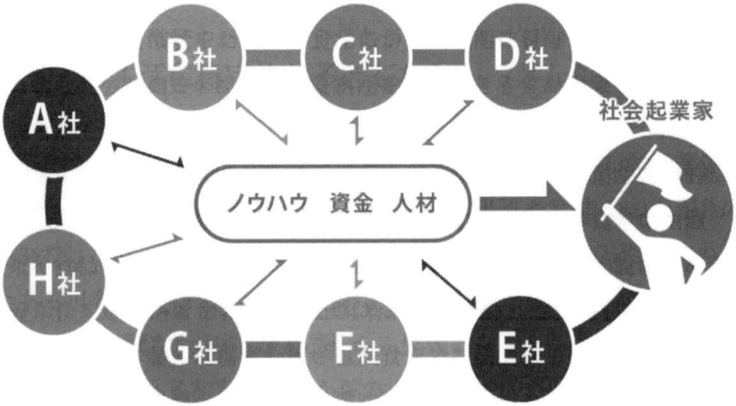

出所：ボーダレス・ジャパンのHPより。

<考　察>

幅広い社会問題解決に取り組んでいる事例で，社会貢献のマーケティングを実践しているといえる。現在，取り扱っている社会問題は，受刑者の就労，食料廃棄，途上国の貧困など多様にわたっている。社会問題を社会起業家によって，連携・連帯による経営システムを行うことで，問題解決への対応するしくみである（図7－4）。これは，1つの事業とみれば，マネジリアル・マーケティングであり，ソリューション・マーケティング2.0である。また，社会問題への解決としてみれば，ソリューション・マーケティング4.0であり，地球規模になれば，ソリューション・マーケティング5.0となる。総じて，この企業は，ソリューション・マーケティングを展開しているといえる。次の表7－5にボーダレス・ジャパンの多くの事業の中から3つの事業とソリューション・マーケティングのレベル対応を示している。

表7－5　ボーダレス・ジャパンにみるソリューション・マーケティングのレベル対応

	範囲・レベル	企業全体	受刑者の就労	食料廃棄	途上国の貧困
SM1.0	製品レベル	○	○	○	○
SM2.0	企業レベル	○	○	○	○
SM3.0	地域レベル	○	○	○	○
SM4.0	社会レベル	○	○	○	○
SM5.0	地球レベル	○			○

出所：ボーダレス・ジャパンのHPより筆者作成。

具体的には，受刑者の就労は，エクアドルの女性受刑者の社会更正を狙いに，たこ焼き職人として就労させる。また，食料廃棄は，規格外の野菜のフードロスをなくすことを狙いに，八百屋のタケシタを運営している。そして，途上国の貧困は，バングラデッシュの貧困層の就労のために，牛の本革でのレザーブランドを展開している。このように，ソリューション・マーケティングのすべてのレベルで対応していると考えられる。

第６節　まとめにかえて

ソリューション・マーケティングは，現代版のマネジリアル・マーケティングであるといえる。マーケティングの変遷の中で，マネジリアル・マーケティングからの脱皮のようなマーケティング・スタイルがソリューション・マーケティングである。アメリカで生まれたマーケティングは，プラグマティズムの思想の影響を受けて，実際に役立つモノとしての地位を社会科学の中で大きな役割を示してきた。今後も，顧客の問題解決を実施するソリューション・マーケティングは大きく展開されていくことになるであろうと思われる。今後の課題は，ソリューション・マーケティング1.0から5.0までを展開している企業や部門ごとの事例研究を蓄積していくことである。また，問題解決にあたり，個人や組織レベルでの知恵を出す効率的な工夫が求められる。と同時に，問題解決につながっているのか，効果は出ているのかを検証していく必要がある。本論文は，中村学園大学流通科学部編「流通科学研究」（Vol.20 No.1）に掲載されたものを追加修正したものである。

参考文献

〔1〕小川仁志『超訳「哲学用語」事典』PHP文庫，2012年。
〔2〕片山富弘『マネジリアル・マーケティングの考え方と実際（増補版）』五絃舎，2005年。
〔3〕片山富弘『差異としてのマーケティング』五絃舎，2014年。
〔4〕片山富弘『差異としてのマーケティング（第３版）』五絃舎，2018年。
〔5〕嶋口充輝『顧客満足型マーケティングの構図』有斐閣，1999年。
〔6〕鳥山正博監訳，大野和基訳『コトラー　マーケティングの未来と日本～時代に先回りする戦略をどう創るか～』KADOKAWA，2017年。
〔7〕田中正人著，斉藤哲也編集・監修『哲学用語図鑑』プレジデント社，2015年。
〔8〕W.ジェイムズ著，桝田啓三郎訳『プラグマティズム』岩波文庫，2019年。
〔9〕チャールズ・サンダース・パース，ウイリアム・ジェイムズ，ジョン・デューイ著，植木豊編訳『プラグマティズム古典集成』作品社，2018年。
〔10〕フィリップ・コトラー，ヘルマワン・カルタジャ，イワン・セテイアワン著，恩

蔵直人監訳，藤井清美訳『コトラーのマーケティング3.0～ソーシャル・メディア時代の新法則～』朝日新聞出版，2010年。

〔11〕フィリップ・コトラー，ヘルマワン・カルタジャ，イワン・セテイアワン著，恩蔵直人監訳，藤井清美訳『コトラーのマーケティング4.0～スマートフォン時代の究極法則～』朝日新聞出版，2017年。

〔12〕Philip Kotler ,Kevin Lane Keller, Marketing Management（14e), Pearson Education,2012.

〔13〕Philip Kotler, Hermawan Kartajaya, Iwan Setiawan, Marketing3.0, John Wiley & Sons, 2010.

〔14〕Philip Kotler, Hermawan Kartajaya, Iwan Setiawan, Marketing4.0, John Wiley & Sons, 2017.

〔15〕西日本新聞「社会を変える・ボーダレス・ジャパンの挑戦（上・中・下)」2020年8月12～14日。

注

1）片山富弘「マーケティングの変化～マーケティング4.0に対する考察をもとに～」『流通科学研究』Vol.17　No.2　2018年3月，pp.21-23を参照。

2）片山富弘「ソリューション・マーケティングの構築に向けて～買物弱者への事例を通じて～」『中村学園大学・中村学園大学短期大学部研究紀要』第50号2018年3月，p.92を参照。

3）Thomas Kuhn, The Structure of Scientific Revolution, The University of Chicago Press, 1970.中山茂訳『科学革命の構造』みすず書房，1971年をもとに書かれた中山元『思考の用語辞典』筑摩書房，2000年の「パラダイム」pp.324-327を参照した。

4）片山富弘「第9章マーケティング・セグメンテーションの時代を読み解く」甲斐諭，片山富弘，浅岡柚美，朴晟材編『流通科学のグローカル実証研究』櫂歌書房，2017年，pp.165-184に詳しい。

5）嶋口充輝「第9章ソリューション満足のマーケティング」『顧客満足型マーケティングの構図』有斐閣，1999年。

6）Philip Kotler, Kevin Lane Keller, Marketing Management（14e), Pearson Education, 2012, pp.40-44.

7）嶋口充輝「ホーリステック・マーケティングの展開～IMCの発展に向けて～」『広告へのホーリステック・アプローチ』(2020年4月18日閲覧）
http://www.yhmf.jp/pdf/activity/adstudies/vol_15_01_02.pdf

8）たいぞうのビジネス教科書のホーリステック・マーケティングとは（2020年4月18日閲覧）　https://dyzo.consulting/4700/

9）空間的差異や認識的差異は，片山富弘『差異としてのマーケティング（第3版)』五絃舎，2018年のpp.20-21に詳しい。

10）和田充夫，恩蔵直人，三浦俊彦著『マーケティング戦略（第 3 版）』有斐閣アルマ，2007年，p.2。

11）小川仁志『超訳「哲学用語」事典』PHP文庫，2012年，pp.152-153。

12）田中正人著，斉藤哲也編集・監修『哲学用語図鑑』プレジデント社，2015年，pp.322-323。

13）時間的差異は片山富弘『差異としてのマーケティング（第 3 版）』五絃舎，2018年のpp.20-21に詳しい。

14）株式会社ボーダレス・ジャパンのHPより（2020年 4 月18日閲覧）
https://www.borderless-japan.com/whoweare/identity/

第８章　ポスト・コロナ時代のイノベーション
── 技術革新から社会革新へ ──

山田　啓一

第１節　はじめに

新型コロナ肺炎（以下「新コロナ」）の大流行（パンデミック）が猛威をふるっている。2019年12月に中国の武漢において発生した新コロナは，瞬く間に世界中に広まり，2020年11月28日現在で，世界中の感染者数は累計で6,167万人超，死亡者数は144万人超となっており[1)]，世界経済にとっても大きなダメージを与えている。

わが国では，欧米やインド，ブラジルなどと比べると，新コロナの人的な影響はさほど大きくはないが，それでも2020年度のGDPの落ち込みは年率▲5.7％が予想され[2)]，わが国経済に与えるダメージは戦後最大となることが予想されている。

他方，わが国ではこのような新コロナ禍の最中に，梅雨の最後の大雨，最大級の台風をはじめとする相次ぐ台風の上陸もしくは接近により，河川の氾濫による洪水，高潮，土砂災害などが頻発するなど，異常気象の影響も大きく社会や経済にダメージをもたらした。

かつて進化論の今西錦司先生が「変わるべき時がくれば変わる」（今西1964）という有名な言葉を残されたが，新コロナの大流行と異常気象という大きな環境変化は，「変わるべき時」にあたるのかもしれない。あるいは，エルドリッジとグールド（Eldridge & Gould 1972）が提起した「断続平衡」的な変化の時が来ているのだろうか。

本稿では，この「変わるべき時」あるいは「断続平衡」的な変化の時なのか否か，変わるとしてもすべてがドラスティックに変わるということは考えられない。そのため，変わるべきものと変わるべきではないものが存在することを考えれば，何が変わって何がかわらないのか，そして変わるべきものがどのように変わるべきか，そしてそれに対してわれわれはどのように対応していけばよいのか，について一般システム理論の考え方を切り口として考察を行う。

第2節　現状の課題―新コロナの大流行と異常気象

2020年は，後世において歴史に刻まれる年となるかもしれない。もちろん，新コロナの大流行が最初に挙げられるが，それだけでなく気候変動の問題，そして米国の大統領選挙とその後の世界の問題など，社会構造に影響を与える大きな変動があった年としてである。

新コロナの大流行への対応は，世界保健機関（WHO）がグローバルに感染をコントロールする機能がないために，結局各国に委ねられるしかなかったが，このことが国民国家への回帰という反グローバル化の動きとなった。すなわち，各国は国境を閉ざし海外渡航や外国人の入国をコントロールすることで，新型コロナウィルスの国内への流入を防ぎ，また国民ひとり一人の行動を制限もしくは自粛させることで，新型コロナウィルスの感染拡大を防ごうとした。当然のことながら，経済活動は停滞し，力の弱い中小企業や新型コロナウィルスの影響をまともに受ける業界では労働者の解雇や倒産が相次いだ。

つぎに，気候変動の問題であるが，世界中で異常気象が問題となっている。異常気象とは「一般に，過去に経験した現象から大きく外れた現象で，人が一生の間にまれにしか経験しない現象[3)]」を指すが，気象庁では「過去30年の気候に対して著しい偏りを示した天候[4)]」と定義している。

近年，世界中で，猛暑，寒波，大雨・集中豪雨，洪水，台風（とくに大型でパターンの違う），大規模な森林火災などが頻繁に生起している。この状況が常態化すれば，異常気象ではなくなってしまうであろう。

言葉の問題はともかく，日本では，梅雨の終わりに大雨が降り，各地で洪水や土砂災害などが発生し，続いて超大型の台風が連続して直撃し，風水害，高潮，土砂災害などをもたらしたが，他方，酷暑が続き，多くの人びとが熱中症で病院に運ばれた。

こうした異常気象の原因として，地球温暖化や森林火災をはじめとする自然環境の破壊などが指摘されており，地球温暖化の原因とされる化石燃料依存を減らす脱炭素化の流れが急速に進んでいる。

しかし，米国大統領選挙で見せたトランプ大統領とバイデン前副大統領との大接戦は，ある意味でグローバル化[5)]の方向性の一つである地域・民族間の共生社会としてのグローバル化が抱えるであろう問題を浮き彫りにした。今回の大統領選挙結果で筆者が注目したのは，新コロナのパンデミックで，感染対策を重視するか，それとも経済対策を重視するかという問題と，その基底にある米国の人種問題であった。そしてこの問題は，さらに地球環境問題とそれがもたらす異常気象の問題にもかかわっている。

今般，トランプ大統領を支持したのは，中部および中西部に住む白人の農業従事者や鉱工業労働者が中心であったとされる[6)]。とりわけ，石油（シェールオイルを含む）や天然ガスといった産業に従事する人びとにすれば，脱炭素化を標榜する民主党のバイデン候補の経済政策には，自分たちの生活基盤自体が脅かされるという問題もあった。しかし，SDGsの地球温暖化や異常気象の原因となっている温室効果ガスを減らしていくというのは，長い目でみれば地球環境を守るという意味では最重要課題の一つである。本来ならば，この問題に対応するためには産業転換を図ることが必要であり，そのためにこうした化石燃料依存産業の従事者を他の産業にシフトさせるための方策を実施することが望まれるのである。

第3節　プレ・コロナ，ウィズ・コロナ，ポスト・コロナ

本稿では，新コロナの大流行について，プレ・コロナ（大流行前），ウィズ・コロナ（大流行中），ポスト・コロナ（大流行後）の3つのステージに分け，ポ

スト・コロナについて検討を行う。これを行うにあたって，新コロナの大流行が私たちの社会にもたらしたインパクトについて考えてみると，つぎのような項目をあげることができる。

（1）感染拡大を抑えるために外出禁止もしくは自粛といった検疫（クオランティン）行動を余儀なくされたこと
（2）上記（1）から，外国人の入国制限や海外への渡航制限など，国境を越えた活動が制限されるようになったこと
（3）上記（1）及び（2）によって，経済活動が大幅に制限され，企業の倒産や労働者の解雇といった深刻な状況が生まれたこと
（4）活動自粛と経済活動のバランスをとるための方策として，GOTOキャンペーンが実施されたこと
（5）マスク，手洗い，の励行と，社会的距離（ソーシャルディスタンス）を保ち，三密（密閉，密集，密接）を避ける習慣ができたこと
（6）自宅もしくは自宅周辺の安全な場所でインターネットとコンピュータで仕事をするいわゆるテレワークが普及したこと
（7）在宅作業やテレワークになじまない職種においても，安全を確保するために，マスク着用と手の消毒を義務づけ，三密を避ける作業環境が確立されたこと
（8）会議などもオンライン会議などで行われることになり，最初は戸惑いもあったものの，徐々に社会に浸透していったこと
（9）インターネットと宅配便を利用したネット取引（購買及び販売）が活発化したこと
（10）新コロナ環境下での新しいビジネスモデルができつつあること

以上を考慮しながら，ポスト・コロナについて後章で考察を行うが，その際ポスト・コロナのパラダイム，ウィズ・コロナが残した課題に分けて取り扱うこととしたい。

第4節　システム理論の考え方

本稿では，システム理論の考え方を切り口としてポスト・コロナの環境変化と対応の方法について検討を行う。システムについては，公文（1978）は，「『システム』とは，主体が客体を認識するための『形式』（疑念構成物）である（p.19）」いいかえれば「『システム』とは，われわれが世界を見るために用いるレンズのようなものである（同）」と述べている。ここでは，まず一般システム理論について以下に整理しておきたい。

1．システムとは何か―一般システム理論とサイバネティクス

一般にシステムというと機械システムを連想しがちだが，ここではシステムとは，機械システムだけでなく，自然現象や社会現象を含むこの世界のありとあらゆるシステムを対象とするもので，『一般システム理論』を著したベルタランフィ（von Bertalanffy 1968）によれば「相互に作用しあう要素の集合（p.35）」とされ，さらにシステムとは「互いに関係をもちあい，また環境と関係をもって存在する1組の要素（p.83）」であるとされている。

このようなシステム全般が共通して持つ原理や特性を明らかにしようとする試みが1950年代から60年代にかけて複数の異なる分野の研究者によってなされてきた。

カストとローゼンツヴァイグ（Kast & Rosenzweig 1972, p.450）はこれらの研究を整理し，こうした一般システム理論の鍵概念として，①サブシステムもしくは構成要素，②全体論，相乗作用，有機的組織体，およびゲシュタルト，③オープンシステム的な見方，④投入―変換―産出モデル，⑤システムの境界，⑥負のエントロピー，⑦安定状態，動的平衡，および恒常性維持，⑧フィードバック，⑨階層，⑩内部の詳細化，⑪複数の目標追及，⑫オープンシステムの等結果性，をあげている。

これらの鍵概念のうち，世の中のほぼすべてのシステムであるオープンシス

テム（開放系システム）[7]にとって特に重要と思われるのは，1）システムには境界があること，2）部分であり全体であること（階層性），および3）投入—変換—産出，4）恒常性維持（ホメオスタシス），の4つであろう。これらのうち4）の恒常性維持についてはサイバネティクスという概念と関わりがある。

ウィナー（Winner 1948）が提唱したサイバネティクスとは「動物と機械における制御と通信」に関する概念であり「サイバネティクスとは，ギリシャ語のキイベルネティックを英語読みにしたもので，制御を表現している」ものとされる。

庭本（1989）によれば，サイバネティクスの制御の原型は，クロード・ベルナール（1865）の「内的環境の安定性」，キャノン（Cannon 1932）の「ホメオスタシス」にあり，ウィナーはキャノンとの共同研究から，サイバネティクスの概念を案出したとされる。この「ホメオスタシス」ないし「サイバネティクス」は，例えば，暖房器具などのサーモスタットが典型としてあげられる。また人間の体温の調節システムも同じである。システムをある一定の状態に保つ仕組みであり，体温の場合熱が上がれば発汗して体温を下げて調節する仕組みである。これを別の言い方をすれば「恒常性」という。

サイバネティクスの考え方を発展させたアシュビー（Ashby 1969）は，「必要多様性の法則（Requsite Vriety）」あるいは「多様性バランス」とよばれる概念を提案した。これは，外部環境の複雑さに対応するためには，システムの内部環境も少なくともそれと同様の複雑さ（多様性）が必要である，というものである。

サイバネティクスの考え方は，その後さらに発展を遂げ，プリゴジン（Prigogine 1984）の「散逸構造」による「自己組織化」へと進化していった。自己組織化現象は，その後，多様な分野において多くの研究者により研究がなされてきたが，簡単にいえば「環境変化が動的平衡の閾値を超えた場合に元に戻れなくなるが，逆に新しい環境に合わせて，自らのシステムを作り替えること」をいうと定義しておく。

サイバネティクスについては，さらにマトラーナとヴァレラ（Maturana &

Varela 1980）により，「オートポイエーシス」という全く別の次元のシステム概念が発表された。これについては，未完成であり議論が続いていることを考慮して，紹介だけにとどめておく。

2．システムの環境適応

サイバネティクスは，システムの「環境適応」に関係する概念である。先にシステム概念の重要な要素として，「部分と全体」という点をあげたが，これは当該システム自体はさまざまな構成要素から成り立つ全体であるが，それと同時に構成要素として他のシステムと一緒になってさらに上位のシステムの部分としての役割を持つというものである。部分として機能する際に，上位システムおよび他の構成要素との関わりをもつが，こうした上位システムおよび他の構成要素の集合を総称して「環境」と呼んでいる。

ダンカン（Duncan 1972）は，組織＝システムの環境適応に関して，環境の複雑さ（多様性）と環境変化に関する研究を行ったが，環境変化の方が適応が難しいとしている。まず，環境の複雑さ（多様性）については，前述のようにアシュビー（Ashby 1969）が必要多様性の法則を提唱している。これは，「多様性バランス」とも呼ばれ「システムが環境に対応するためには，システムはその環境が持つ多様性と同じか，もしくはそれ以上の多様性を内部に持たなければならない」というものである。このことは，複雑な環境に適応するためには，組織は多様な人材，多様な考え方，多様な行動パターンを有することが大切であるということを意味する。トップがこの多様性を許容できるかどうかがカギとなっている。トップの人間がいくら優秀であっても，そこにはサイモン（Simon 1947）のいう限定的合理性（Bounded Rationality）つまり「一人の人間の能力には限界がある」のであり，周りをイエスマンだけで固めるとこの多様性がなくなってしまい，複雑な環境に適応できなくなる恐れがあるということになる。

つぎに「環境変化」への対応であるが，環境変化を小さな変化（動的平衡すなわちホメオスタシスで対応できるもの）と大きな変化（そうでないもの）に分けると（大小を分ける分水嶺は，後述する「閾値」である），前者はさらに①規則変化，②循環変化，③不規則変化に分けることができる。これらのうち，①と②は比較的予測が可能であり対応は難しくないが，③は予測が不可能であるため，対応が難しいが，多様な人材が多様な考え方をもって多様な行動をとることで対応が可能となるかもしれない。その際のキーとなるのは，学習を許容する加点主義と学習を方向づけるコントロールである。また，あらかじめ，変化を計画することができないので，感知と即応というマインドセットが重要となることである。

これに対して，大きな変化は，規模は大きいが頻度は少なく，断続平衡モデル（あるいは断続平衡理論）で説明されるものである。これは，地震をはじめとして多くの大規模な自然災害がこれにあたる。断続平衡モデルは「システムは，その基本的活動パターンにおいて比較的長い期間の安定（平衡期）と比較的短期間に生じる根本的な変化（革新期）を通じて進化するものであり，革新期において確立された活動パターンが本質的に破壊され，新しい平衡期のための基礎が築かれる（Romanelli & Tushman 1994：p.1141）」というモデルである。

さてシステム理論において，システムが生存可能であるための要件は，システムに自己維持機能（ホメオスタシス）と自己組織化機能の 2 つの機能をシステムが内蔵していることである（遠山1998，p.19）。自己維持機能は「自らの構造や機能を所与として，環境の変化に受動的に環境適応するもの（遠山1998，p.19）」であり，自己組織化機能は「環境の変化，構造や機能を所与とするものではない，自らが自らの構造や機能を，さらには環境までも変革して積極的・能動的環境適応を図る機能（遠山1998，pp.21-22）」である。

自己維持的な変化対応は一定の範囲内（閾値内）における環境変化に対する対応であり，ピースミール的な改善のレベルでの対応である。これに対して，自己組織化的な変化対応は環境の変化が閾値を越えた場合の対応であり，非連続なシステムの構造的な変革すなわち改革レベルの対応である。すなわち，この対応こそが，シュムペーター型のイノベーションなのである。クリステンセン（Christensen 1997）でいえば，破壊的イノベーションということになろう。

第5節　新コロナとどう向き合えばよいのか

1．新コロナは「神」である

一番大切なことは，「新コロナは，人間が創り上げたあらゆるものを考慮しない」ということを認識することであろう。ここで「神」というのは，人知を超えたコントロールができないものの総称である。人間は昔から自分でコントロールできない未知の力を「神」として扱ってきた。地震，津波，台風，噴火，異常気象のような自然災害や未知の感染症など，人間がコントロールできない（あるいは克服できない）力に対して，人間は恐れおののき，「神」として受け入れてきたのである。

しかし，産業革命以後，人間は科学技術によって，「神」に挑戦し続けてきた。現在では，遺伝子操作，ゲノム，人工知能，アンドロイドなど，といった領域で「神」の領域に侵入しようとするまでに至った。

福岡（2020）は，朝日新聞デジタルへの寄稿で，つぎのように述べている（内容要約）。

人間の生命としての身体は，「自らの制御に置くことができない」ものであり「いつ生まれ，どこで病を得，どのように死ぬか，知ることはできない」ものである。しかし，他方で，人間は「計画通りに，規則正しく，効率よく，予定にしたがって，成果を上げ，どこまでも自分の意志で生きているように思いこんでいる」存在でもある。前者を「ピュシス」，後者を「ロゴス」とよぶことにすると，元来「ピュシスとしての生命をロゴスで決定することはできない（p.32）」ことになる。

しかし，人間の脳はアルゴリズム的なロゴス（計画や規則）によって制御できないもの，つまりピュシス（生と死，病，老いなど）を恐れ，隠蔽した。そして，ピュシスである新型コロナウィルスをAIやデータサイエンスといったもっとも端的なロゴスによって制御化に置こうとしている（筆者注，これは，欧米の近代化とくに産業革命の延長線上のアプローチである）。このようなアプローチでは，

「自身の動的な生命を，つまりもっとも端的なピュシスを，決定的に損なってしまうこと（p.35）」になる。そして，「長い時間軸をもって，リスクを受容しつつウィルスとの動的平衡（筆者注，これはおそらくホメオスタシスであろう）を目指すしかない（p.34）」と述べている。

このように，人間の都合で新コロナがそのふるまいを変えたり，人間の創り上げたルールにしたがってくれないということを認識する必要がある。新コロナにとって，政治も経済も人の営みも考慮するわけではなく，どうでもよいことなのである。

2．国民国家の復権とグローバル化の後退

1648年に，30年戦争を終結するための講和条約がドイツ北西部のウェストファリアで締結された。神聖ローマ皇帝，ドイツの66の諸侯，フランス，スウェーデン，スペイン，オランダなどの代表が参加した，世界で最初の大規模な国際会議であり，これにより神聖ローマ帝国の衰退，国民国家（主権国家）の誕生，プロテスタントの承認などが行われた。以後，この国民国家という枠組みで現在まで統治がなされてきた。これに対して，1991年のCIXの設立によるインターネットの商業利用の開始と航空産業の発達とが相まってグローバル化が進展し，国境という枠組みが低くなって，ヒト・モノ・カネ・情報などの往来がグローバルに展開する動きが進んだ。

しかし，今回の新コロナでは，グローバルなコントロール能力をもった世界機構が存在しないために，各国で対応せざるをえない状況に陥った[8)]。このため，国ごとに新コロナ感染対策を実施し，国境を閉ざし，国のコントロールが再強化された。

新コロナ大流行という危機に対しては，強いリーダーシップの下で絞り込まれた課題を適時的確に解決していかなければならず，そのためには街全体のロックダウンや個々人の外出自粛，飲食店などの営業休止や時短営業，一般企業に対する在宅勤務の要請といった強制的あるいはそれに近い対策を徹底しなければならないことから，集権的な強制力を伴ったリーダーシップが有効である。

ただし，そこにはリーダーの誤った意思決定が人びとを混乱と不幸に陥れる危険性があることも考慮しなければならない。

いずれにせよ，今回の新コロナ禍の下では，国民国家の復権とグローバル化の後退という現象がみられることは確かであり，ポスト・コロナにおいて，グローバルなコントロール機関と医療ネットワークが創設できるかどうかが，今後のグローバル化の進展には必要であろう。

第６節　ポスト・コロナのパラダイム

1．プレ・コロナのパラダイムとしての近代化

佐伯（2014）は，一般的理解として，近代化は３つの革命を通じて成し遂げられたとする。すなわち，科学革命，市民革命，産業革命である。科学革命とは「われわれの認識の変化で，合理的な認識，世界像を打ち立てること（p.71）」であり，市民革命とは「王権や君主権，貴族の特権といった伝統的権威主義的な政治体制から自由で民主的な市民中心の政治体制への転換（p,73）」であり，産業革命とは「共同体的な土地に依存した経済から，共同体を離れ，場所に縛られない市場経済，産業技術の展開へと移行すること（p.73）」であるとする。そして，これら「３つの革命が古い体制を打ち破って近代社会をつくった」とされている。

しかし，佐伯（2014）は，こうした歴史観には相容れず，近代社会には二つの系譜の理解の仕方があることを指摘している。すなわち，ひとつの理解の仕方は「抑圧からの解放，自由の実現，平等の実現，市場経済によって選択や移動の自由が高まり，生活が豊かになる（p.78）」という理解の仕方であり，もうひとつは，「近代とは，国民国家という集団の規制や抑圧がきわめて強固になり，国家が国民軍という軍隊をもち，教育システムを独占して国民教育を行い，また社会生活を画一化して規律で覆っていく社会（p.78）」でもあるという理解の仕方である。

科学革命については，それがキリスト教信仰から生まれたものであることを

指摘しておかなければならない。村上（1979）は，近代科学が17世紀から18世紀にかけて起こった理神論の出現から無神論への移行という動きを聖俗革命とよび，そこから生まれたとする。すなわち，村上（1979）は「キリスト教の本質的特徴の一つは，この世界を整然たる秩序の中に創り上げた唯一の人格的創造主である神への信仰」とし，この世界はこの全知全能の神が厳密な秩序を与え，その秩序通りに動くはずである，というのが理神論の考え方である。そしてこの理神論がやがてフランスの啓蒙主義者たちによって神への信仰の部分が剥ぎとられ，無神論へと変貌させられたものであるとする。

ここで重要なのは，近代化の背景にはキリスト教信仰があるということである。キリスト教を背景として，科学革命，市民革命，産業革命の三つの革命を経て欧米を中心に形成されたのが近代社会であるが，佐伯（2014）が指摘するように，そこには，国民国家による支配というもう一つの側面がある。そして，17世紀以降，現在に至るまで，欧米のキリスト教世界が近代化の名のもとに，世界を支配してきた。それは，世界に物質的な豊かさをもたらしたが，反面，強大な軍事力を背景とした植民地支配と搾取・収奪，悲惨な戦争の繰り返しといった負の側面を持っていたことも否めない。

問題は，この近代化なるものが，17世紀以降の世界を支配してきたパラダイムだということである。

2．ポスト・コロナのパラダイム—近代化から脱近代化へのパラダイム転換

これまで世界を支配してきた欧米の近代化とキリスト教のパラダイムは，アジア，アフリカ，ラテンアメリカなどを植民地として支配し（そもそも欧米の近代化は植民地支配さらにいえばアフリカ系住民を奴隷として利用したことにより可能となった[9)]），白人優越主義の世界観であり，また成長のための競争が重視されたため，戦争が絶えなかった。しかし，地球環境問題をはじめ，全世界で解決しなければならない課題が表面化してきている現在，このような近代化のロジックを脱却して，競争から共創へとパラダイム転換を図ることが求められる。また，この世紀の残りを戦争の世紀にしないためにも，競争と近代化のパラダイ

ムから抜け出して，共生と脱近代化のパラダイムへと脱却しなければならない。近代化のパラダイムによれば，自然は「人間が征服（あるいは克服）するもの」であるのに対して，脱近代化のパラダイムは「人間は自然の生態系（エコシステム）の一部であって，それなしでは生きていけない，生態系の中で生かされている存在である」という生態系の発想である。

グローバル化は，そのような視点で進められるべきであり，その意味では，大国の力のロジックがまかり通るような現在のシステムではなく，世界をコントロールする新しい世界的機関が必要となるであろう。そういう意味で戦後75年経った現在，第二次世界大戦の戦勝国を中心とした国際連合によるシステムの見直しを行う時期が来ているのかもしれない。

こうした脱近代化のグローバル化を進めるにあたって，欧米の科学的知識だけでは，ローカルの真のニーズに応えることは難しい。ともすれば欧米の科学的知識を途上国をはじめとする非欧米諸国に上から目線で押しつけるということにもなりかねないし，また，現地には現地の特殊事情や現地にふさわしいやり方などがあるであろう。こういうニーズにも応えるためには，現地のローカルの伝統的な知恵や現地の人びととのコラボレーションによる暗黙知の創造が重要な鍵となる。

その際，欧米の科学的知識を拒否するのではなく，それと現地の伝統的知恵の融合もしくはハイブリッド化を図るという方向が大切ではないだろうか。野中と竹内（Nonaka & Takeuchi 1995）によれば，ナレッジマネジメントで扱うナレッジには形式知と暗黙知があるとされる。形式知は「形式的・論理的な言語によって伝達できる知（p.88）」であり，暗黙知は「特定状況に関する個人的な知であり，形式化したり他人に伝えたりすることが難しい知（p.88）」である。そして知識創造のためのSECIモデル[10]を提案しているが，筆者はこのうち，内面化のプロセスに注目する。すなわち，学習を通じた形式知から暗黙知への転換であり，体験知もしくは体現知への進化である。現場で本当に役に立つ「知」はこのような体験知や体現知であろう。理屈を言っているだけでは役に立たないのである。実際にアクションとして行われなければならないのである。野中と竹内（Nonaka & Takeuchi 2019）でも，最初に「知識から知恵へ」の進化の重要性が述べられており，新たな脱近代化そしてポスト・コロナのパラダイムにはこうした実践知の重要性についても検討されることが必要であろう。

第7節　ウィズ・コロナが残した課題

前節では，ポスト・コロナのパラダイムについて論じたが，ここでは新コロナが提起した諸問題のうち，重要な4つの問題について検討を行う。

1．効率化，最適化志向からの脱却

日本企業では，コスト競争力を最大限に引き出すために，徹底した効率化と最適化を図ることが志向されてきたが，生産拠点を中国に集中させたために，モノの安全保障が脅かされることとなった。例えば，不織布のマスクは80%を中国に依存していたため，今回の新コロナ禍では，品不足から大混乱となってしまった。

これから得た教訓は，効率性一辺倒ではなく有効性を第一に考えること，特に最適なサプライチェーンよりも，リスク分散を考えた安全なサプライチェーンを構築することが必要と考えられる。不織布のマスクの例でいえば，海外の生産拠点を中国依存から中国＋アセアン（例えば，ベトナム，インドネシア，フィリピンなど）に分散させることを検討することが必要ではないだろうか。

2．新コロナに後押しされた行政改革

新コロナの感染状況の情報は各地域の保健所で集計が行われ，その結果を各都道府県で集計公表するという形がとられたが，その過程ではからずも情報伝達が手書きのファクリミリで行われるという古いシステムで行われていることが露呈した。また，役所における個人への給付金の処理も，マイナンバーカードを使ってインターネット経由で申請するシステムがうまく機能せず，手作業

による確認を余儀なくされ，郵送による手続きよりも処理が遅れてしまったという問題も生じた。さらに，中小企業への支援については手続きが複雑で時間がかかるという点も指摘されている[11]。

政府は，デジタル庁を立ち上げて，行政のデジタル化を推進しようとしているが，まず必要なことは行政サービスに関するマインドセットの革新と行政手続きの簡素化であろう。仕事に対する考え方と仕事のやり方を変えていかなければ，単にデジタル化を進めてもあまり役に立つとは思えない。

3．働き方改革の実現

新コロナの感染を防ぐために，在宅勤務やテレワークが進められた。また，会議もオンラインで行われるようになった。テレワークになじまない職種についても，三密を避け，感染しないような作業環境が整備され，工場では無人化も進められた。

在宅勤務やテレワークでは，毎日定時に会社に出勤して仕事をし，定時に退社するというパターンから，通勤がない，仕事時間を仕事に支障がない範囲で自由に決められる，仕事の評価も勤務時間から成果主義に変わった（その代わりに残業はカウントされないかもしれないが），という点で期せずして働き方改革が実践された。企業によっては，さらに本社を地方へ移転させたり，従業員の地方転居を認めたりする事例も現れた。

新コロナ禍が終息した後，またすぐに元に戻すのではなく，新コロナ禍で変わった就業環境の利点を考慮しつつ，必要に応じて従来のやり方も含めた新しい就業環境・就業体制を検討することが大切であると考える。

4．観光依存の政策から農業重視の政策へ

今回，新コロナ禍で最も大きな影響を受けたのは観光関連産業であった。とくに安倍政権では円安政策をとり，外貨獲得の手段として海外からの観光客を呼ぶため，観光政策に力をいれてきた。もとより，観光は地域活性化の最後の手段であり，他に地域が飯を食える産業があるならば，そちらを優先すべきで

ある。

とりわけ，新コロナ禍で感じた不安は，食料自給率が37％と低いことから，「食」の安全保障についてである。食料自給率を向上させるためには，農業振興が必要であるが，とくに新コロナ禍で大きなダメージを負った観光関連産業に就いている人びとや飲食業に就いている人びと，そして若い人たちに農業に従事してもらうための施策を展開することも検討されるべきであろう。

第８節　技術革新から社会革新へ

巷間では，AI（人工知能），IoT（モノのインターネット），ビッグデータ，デジタル・トランスフォーメーション（DX）といった情報技術の技術革新が脚光を浴びている。確かに，技術革新がイノベーションをもたらすことは事実である。例えば，スマートフォンはコンピュータ技術と通信技術の発展がなければ生まれてこなかっただろう。必要な時に必要な技術があればよりよい変革をもたらすことができるであろう。

しかし，情報技術をはじめとした技術革新は，あくまで社会変革の手段もしくはツールであって技術革新のための技術革新ではないことに注意することが大切である。また，昨今，フレイとオズボーンの2030年問題（Frey & Osborn 2013）やシンギュラリティの問題（Kurzweil 2005）が話題となっている。前者は，AIを中心とした情報技術の発達により，2030年には現在働く人の半分は機械にとって代わられ失業するという問題であり，シンギュラリティに至っては2045年にはコンピュータが人間を超えるという問題である。

これは，遺伝子組み換え，クローンなどと併せて，「神」の領域に踏み込むものであり，慎重な対応が必要である。人間を幸福にするための技術革新は大いに進めるべきであるが，人間を不幸にするような技術革新は慎むべきであろう。

また，先にも述べたように，21世紀のグローバル化にあって，それぞれの地域の人びとの暮らしを豊かにするためには，欧米の科学技術だけでなく，地域の伝統的な知恵を活用することも大切であろう。これらを有機的に融合させるとき，本当に役に立つ技術を利用することができると考えられる。

例えば，ボーローグが中心となって進めた米国による「緑の革命」は，一時的に途上国の農業生産性を飛躍的に向上させたが，品種改良と化学肥料による収量の飛躍的増大は，土地そのものを疲弊させる結果となってしまった（Shiva 1991）。この点を顧みて，途上国では，有機農業と傾斜地農法に農業政策を転換している（北沢1998）。とくに，傾斜地農法では棚田が重要であるが，棚田の維持管理は欧米の科学的知識ではなく，伝統的な農業の知恵が必要である（関口2012）。しかし，学校教育ではこうした伝統的な知恵については特別な場合を除いて教えていない。また知恵の習得は学校教育だけでは難しい。

また，中村哲先生はアフガニスタンで用水路を開き，砂漠に緑を蘇らせ，農業を復活させたが，そこで使われた技術は高度先端技術ではなく，通常の土木技術と日本の伝統的な治水技術であった。なぜ，このような技術を採用したかについて，中村哲先生は自分がいなくなっても現地の人たちで維持管理ができるようコストもかからず，難しい技術を習得する必要もないことを考慮したと述べている（中村，2017，pp.3-4）。

このように，技術は社会革新のためにあるのであって，技術革新のための技術革新ではないことに留意すべきである。採用する技術も，その後の維持管理も含めて検討されるべきである。スーパーコンピュータを開発したが，さて何に使おうかではないのであって，最初に開発目的がなければならないのである。

第 9 節　おわりに

本稿の冒頭で述べた今西錦司先生の「変わるべきときがくれば変わる」とは，言い換えれば「環境が大きく変化し，システムの動的平衡（ホメオスタシス）の閾値を超えるような大きな変革の必要性が生じたとき，非連続な自己組織化的な対応（破壊的イノベーション）が必要となる」ということに他ならないと考えられる。

今回の新コロナ禍は，いろいろな局面でこの閾値を超える環境変化であり，最適化により古い環境に過剰適応していたために変革が進められずに，世界の新しい動きに対応できなかった日本の社会に大きなインパクトを与えたといえるのではないだろうか。

例えば，デジタル時代に押印の文化を引きずっていたり（もちろん必要なものは残さなければならないが），電子メールの時代に手書きのファクシミリを使っていたり，もっといえば東京一極集中が解消されずに，満員電車での通勤を続けていたり，これまで手がつれられていなかった古い仕組みを変えるべき時が来ていると考えられる。

その際に考えなければならないのは，これまで世界を支配してきた「近代化」のロジックから「脱近代化」のロジックへとパラダイム転換を図ることである。欧米の科学技術（形式知）だけでなく，日本で先人たちが築き上げてきた伝統的な知恵（暗黙知）を融合させ，生きたナレッジをベースとして変革を起こすことである。高度先端技術（ハイテク）をむやみに使うのではなく，通常技術（ローテク）でもよいから必要な技術をツールとして使うこと，そしてコストや教育を含めた維持管理のしやすさも考慮した新システムの導入などを，考えていくことが必要であろう。

技術革新が先にありきではなく，あくまで社会革新が中心であること，いいかえればAI，IoT，ビッグデータ，デジタルトランスフォーメーション（DX）はあくまで社会変革のツールでしかないということに留意しなければならない。スーパーコンピュータの「富岳」も結構だが，要はこれから社会をどのように変えていくかであり，次世代の人びとに「負の遺産」を残さない方向で検討されるべきであると考える。

参考文献

〔1〕今西錦司「正統派進化論への反逆」,『人文学報』第20巻，pp.1-13，1964年。
〔2〕北沢洋子『開発は人びとの手で―NGOの挑戦：フィリピン農村再建運動（PRRM)』アジア太平洋資料センター，1998年。
〔3〕公文俊平『社会システム論』日本経済新聞社，1978年。
〔4〕佐伯啓思『西洋近代を問い直す―人間は進歩してきたのか』PHP出版，2014年。
〔5〕関口広隆『世界遺産を守る民の知識―フィリピン・イフガオの棚田と地域の学び』明石書店，2012年。
〔6〕遠山暁『現代経営情報システムの研究』日科技連，1998年。
〔7〕中村哲『アフガン・緑の大地計画―伝統に学ぶ感慨工法と甦る農業』石風社，2017年。
〔8〕西山俊彦『カトリック教会と奴隷貿易―現代資本主義の興隆に関連して』サンパウロ，2005年。
〔9〕庭本義和「組織革新と情報認知―情報システム設計への基礎的考察」，涌田宏昭編著『経営情報科学の展開』中央経済社，pp.91-112，1989年。
〔10〕福岡伸一「ウィルスは撲滅できない，共に動的平衡を生きよ」朝日新聞社編『コロナ後の世界を語る―現代の知性たちの視線』朝日新聞社，PP.27-35，2020年。
〔11〕村上陽一郎『新しい科学論―「事実」は理論をたおせるか』講談社，1979年。
〔12〕Ashby, W. Ross , Introduction to Cybernetics, John Wiley & Sons, 1956.（篠崎武・山崎英三・ 銀林浩訳『サイバネティクス入門』宇野書店，1967年）。
〔13〕Bernard, Claude, *Introduction á l'ètude de la mèdecine expèrimentale,* Tradition, 1865.（三浦岱栄訳『実験医学序説』岩波書店，1970年）。
〔14〕Cannon, Walter B., *The Wisdom of the Body*, 1932.（舘鄰・舘澄江訳『からだの知恵－この不思議なはたらき』講談社，1981年）。
〔15〕Christensen, Clayton, *The Innovator's Dilemma : When New Technology Cause Great Firm to Fail*, Boston, MA : Harvard Business School Press, 1997.（伊豆原弓訳『イノベーションのジレンマ―技術革新が巨大企業を滅ぼすとき』翔泳社，2000年）
〔16〕Duncan, Robert B., "Characteristics of Organizational Environment and Perceived Environmental Uncertainty," *Administrative Science Quarterly*, Vol. 17, No.3 (Sep., 1972), pp.313-327, 1972.
〔17〕Eldredge, Niles, & Stephen J. Gould, "Punctuated equilibria: An alternative to phyletic gradualism," In T.J. Schopf (Ed.), *Models in Paleobiology*, pp.82-115. San Francisco, CA : Freeman, Cooper, 1972.
〔18〕Frey, C. Benedikt, & Michael A. Osborn, "The Future of Employment : How Susceptible are Jobs to Computerisation?," Working Paper, Oxford Martin Programme on Technology and Employment, Oxford University, 2013.

〔19〕 Kast, Fremont E., & James E. Rosenzweig," General System Theory : Applications for Organization and Management," *Academy of Management Journal*, December, 1972, pp.447-465, 1972.

〔20〕 Kurzweil, Ray, The Singularity is Near, New York, NY.: Viking, 2005.

〔21〕 Maturana, H. R., & Francisco Varela, *Autopoiesis and Cognition : The Realization of the Living*, Dordrecht, Holland : D. Reidel Publishing, 1980.（河本英夫訳『オートポイエーシス―生命システムとは何か』国文社，1991年）。

〔22〕 Nonaka, Ikujiro & Hirotaka Takeuchi, *The Wise Company : How Companies Create Continuous Innovation*, New York, NY.: Oxford University Press, 2019.（野中郁二郎・竹内弘高（2020）『ワイズカンパニー－知識創造から知識実践への新しいモデル』東洋経済新報社）。

〔23〕 Nonaka, Ikujiro & Hirotaka Takeuchi, *Knowledge Creating Company : How Japanese Companies Create the Dynamics of Innovation*, New York, NY.: Oxford University Press, 1995.（梅本勝博訳『知識創造企業』東洋経済新報社，1996年）。

〔24〕 Prigogine, Ilya, & Isabelle Stengers, *Order out of Chaos : Man's New Dialogue with Nature*, New York, NY.: Bantam New Age Books, 1984.（伏見康治・伏見譲・松枝秀明訳『混沌からの秩序』みすず書房，1987年）。

〔25〕 Romanelli, Elaine, and Michael L. Tushman, "Organizational Transformation as Punctuated Equilibrium : An Empirical Test," *Academy of Management Journal*, Vol. 37, No.5 : pp.1141-1166, 1994.

〔26〕 Shiva, Vandana, *The Violence of the Green Revolution*, London, UK.: Zed Books, 1991.（浜谷喜美子訳『緑の革命とその暴力』日本経済評論社，1997年）。

〔27〕 Simon, Herbert A., *Administrative Behavior*, New York, NY.: Macmillan, 1947.（松田武彦・二村敏子・高柳暁訳『経営行動―経営組織における意思決定プロセスの研究』ダイアモンド社，1989年）。

〔28〕 Steger, Manfred B., *A Very Short Introduction GLOBALIZATION*, Oxford, UK.: Oxford University Press, 2003.（櫻井公人・櫻井純理・高嶋正晴訳『グローバリゼーション』岩波書店，2005年）。

〔29〕 von Bertalanffy, Ludwig, *General System Theory*, New York: George Braziller, 1966.（長野敬・太田邦昌訳『一般システム理論―その基礎・発展・応用』みすず書房，1973年）。

注

1）朝日新聞2020年11月29日（日）14版，ｐ.7，11月28日午後5時現在。

2）日本経済新聞社ホームページ（2020年11月27日閲覧）https://www.nikkei.com/article/DGXMZO66709320X21C20A1000000。但し，内閣府が11月16日に公表した2020年7～9月期の国内総生産（GDP）速報値を織り込んだ予測であって，その後の第3派の影響を織り込んだものではないため，実際にはより落ち込みが大きくなるかもしれない。

3）気象庁ウェブサイト気候・異常気象について（2020年12月20日閲覧）https://www.data.jma.go.jp/gmd/cpd/monitor/extreme_world/explanation.html

4）同上。

5）グローバル化に対する用語として，グローバリズムという言葉がよく使われるが，これはグローバル主義というイデオロギーを指し，グローバル化という現象を指す用語は，グローバリゼーションである。すなわち，グローバリズムとはグローバリゼーションの概念に新自由主義的な価値と意味を与えるイデオロギーである（Steger 2003, p.120）。

6）朝日新聞2020年11月15日，14版2ページ「トランプ支持　敗れても―ガス産業の街『開発滞れば暮らせない』」。

7）これに対するシステムには，クローズドシステム（閉鎖系）が考えられるが，これは外部とのかかわりをもたない自己完結システムをいう。

8）WHOには，世界中の医療機関をオーガナイズしてCOVID-19に対応する力はない。

9）西山（2005）は，現代資本主義の興隆はアフリカ系住民の奴隷貿易によるところが大きいとしている。

10）野中と竹内（1995）は，知識変換の4つのモードとして，共同化（Socialization：ある人の暗黙知を別の人に体験を通じて暗黙知のまま伝えること），表出化（Externalization：暗黙知の形式化できる部分を形式知に変換すること），連結化（Combination：ある形式知と別の形式知を結合させること），内面化（Internalization：獲得した新しい形式知を体験を通じて暗黙知にすること）をあげており，これらの4つのモードが順番に展開することにより，知識創造を行うことができるというモデルを提案している。そして，これらの4つのモードの頭文字をとって，SECIモデルとした。

11）例えば，三菱総合研究所のレポートでは，日本政府が中小企業の従業員への給与支払い支援策として推奨する雇用調整助成金制度は，オンライン申請ができないことや必要とされる書類が多岐にわたることから，2月中旬から5月12日までの約3ヶ月での支給決定件数は5,666件にとどまっていたとされる（2020年11月28日閲覧）https://www.mri.co.jp/knowledge/column/20200617.html

執筆者紹介（執筆順。なお＊印は編者）

甲斐　諭*（かい　さとし）：第１章執筆
　学校法人中村学園　顧問

眞次一満（まつぐ　かずみつ）：第１章執筆
　フード・マネジメント学科　准教授

中川　隆（なかがわ　たかし）：第２章執筆
　流通科学部　准教授

中川敬基（なかがわ　よしき）：第３章執筆
　流通科学部　准教授

太田千穂（おおた　ちほ）：第４章執筆
　栄養科学部　准教授

浅岡柚美*（あさおか　ゆみ）：第５章執筆
　流通科学部　教授　流通科学研究所長

徐　　涛（じょ　とう）：第６章執筆
　流通科学部　准教授

片山富弘*（かたやま　とみひろ）：第７章執筆
　流通科学部　教授

山田啓一（やまだ　けいいち）：第８章執筆
　流通科学部　教授

現代の流通ビジネス

── 農業と食を中心に ──

2021年 4 月20日　第 1 刷発行

編　者：浅岡柚美・甲斐　諭・片山富弘
発行者：長谷雅春
発行所：株式会社 五絃舎
〒173-0025　東京都板橋区熊野町46-7-402
TEL・FAX：03-3957-5587
e-mail：gogensya@db3.so-net.ne.jp
組版：Office Five Strings
印刷：モリモト印刷
ISBN978-4-86434-133-2
Printed in Japan　検印省略